CW01081545

HARRY POTTER

E A
CRIANÇA
AMALDIÇOADA

PARTES UM E DOIS

BASEADO NUMA NOVA HISTÓRIA ORIGINAL DE

J.K. ROWLING
JOHN TIFFANY & JACK THORNE
UMA NOVA PEÇA DE TEATRO DE JACK THORNE

PRODUZIDO PELA PRIMEIRA VEZ POR
SONIA FRIEDMAN PRODUCTIONS, COLIN CALLENDER
& HARRY POTTER THEATRICAL PRODUCTIONS

O GUIÃO OFICIAL DA PRODUÇÃO TEATRAL ORIGINAL DE WEST END
EDIÇÃO ESPECIAL DO GUIÃO DA PEÇA DE TEATRO

HARRY POTTER

E A
CRIANÇA
AMALDIÇOADA

PARTES UM E DOIS

TRADUÇÃO DE
MARTA FERNANDES E HELENA SOBRAL

EDITORIAL PRESENÇA

FICHA TÉCNICA

Título original: *Harry Potter and the Cursed Child Parts One and Two (Special Rehearsal Edition Script)*
Publicado pela primeira vez na Grã-Bretanha em 2016 por Little, Brown.
Texto © Harry Potter Theatrical Productions Limited 2016
Harry Potter Publishing and Theatrical rights © J.K. Rowling
Artwork e logo são marcas registadas de e © Harry Potter Theatrical Productions Limited
Personagens, nomes e elementos associados a Harry Potter são marcas registadas de © Warner Bros. Ent. Todos os direitos reservados.
J.K. ROWLING'S WIZARDING WORLD é uma marca registada de J.K. Rowling e Warner Bros. Entertainment Inc.
Todas as personagens e acontecimentos constantes desta obra, exceto os que se encontram no domínio público, são fictícios, e qualquer semelhança com pessoas reais, vivas ou falecidas, é pura coincidência.
Todos os direitos reservados.
Nenhuma parte deste livro poderá ser reproduzida sob qualquer forma ou meio, eletrónico ou mecânico, incluindo fotocópia, gravação ou armazenamento de informação sem o consentimento prévio, por escrito, do proprietário, nem poderá circular com outra encadernação ou capa que não seja a da edição original.
Tradução © Editorial Presença, Lisboa, 2016
Tradução: *Marta Fernandes* e *Helena Sobral*
Revisão: *Ana Rita Silva/Editorial Presença*
Composição, impressão e acabamento: *Multitipo — Artes Gráficas, Lda.*
Depósito legal n.º 414 294/16
1.ª edição, Lisboa, setembro, 2016
2.ª edição, Lisboa, setembro, 2016

Reservados todos os direitos
para a língua portuguesa (exceto Brasil) à
EDITORIAL PRESENÇA
Estrada das Palmeiras, 59
Queluz de Baixo
2730-132 Barcarena
info@presenca.pt
www.presenca.pt

ÍNDICE

O texto da peça *Harry Potter e a Criança Amaldiçoada*
Partes Um e Dois
não pode ser representado quer integralmente quer
em parte, e não é permitido qualquer outro uso exceto
sob autorização expressa dos detentores dos direitos
da obra, J.K. Rowling e Harry Potter Theatrical
Productions Limited.
enquiries@hptheatricalproductions.com

J.K. ROWLING

*A Jack Thorne,
que entrou no meu mundo
e nele fez coisas maravilhosas.*

JOHN TIFFANY

*Ao Joe, ao Louis, ao Max, ao Sonny e à Merle... magos todos
eles...*

JACK THORNE

*A Elliott Thorne, nascido a 7 de abril de 2016.
Que aprendeu a balbuciar durante os nossos ensaios.*

PARTE UM

PARTE UM

ATO UM

ATO UM   CENA UM

KING'S CROSS

Uma estação buliçosa, cheia de gente em trânsito que se dirige algures. No meio da azáfama, duas gaiolas grandes chocalham em cima de dois carrinhos carregados, empurrados por dois rapazes, JAMES POTTER *e* ALBUS POTTER. *A mãe,* GINNY, *segue-os. Um homem de trinta e sete anos,* HARRY, *leva a filha* LILY *às cavalitas.*

ALBUS
   Pai, ele nunca mais se cala com aquilo.

HARRY
   James, para lá com isso.

JAMES
   Eu só estava a dizer que ele podia ficar nos Slytherin. E podia mesmo, portanto... *(olhar penetrante do pai)* está bem, eu paro.

ALBUS *(erguendo os olhos para a mãe)*
   A mãe vai escrever-me, não vai?

GINNY
   Todos os dias se for esse o teu desejo.

ALBUS
   Não, todos os dias não. O James diz que a maior parte das pessoas só recebe cartas de casa mais ou menos uma vez por mês. Não quero...

HARRY

No ano passado nós escrevemos três vezes por semana ao teu irmão.

ALBUS

O quê? James!

ALBUS *dirige um olhar acusador a* JAMES.

GINNY

Sim. Não podes acreditar em tudo o que ele te diz sobre Hogwarts. É um brincalhão, o teu irmão.

JAMES (*com um sorriso de orelha a orelha*)
Já podemos ir agora? Por favor.

ALBUS *olha para o pai e em seguida para a mãe.*

GINNY

A única coisa que têm de fazer é atravessar a parede entre as plataformas nove e dez.

LILY

Estou tão excitada...

HARRY

Não parem nem tenham medo de embater contra a parede, isso é muito importante. O melhor é fazerem-no a correr se estiverem nervosos.

ALBUS

Estou pronto.

HARRY *e* LILY *agarram-se ao carrinho de* ALBUS — GINNY *ao de* JAMES —, *e a família lança-se numa corrida de encontro à barreira.*

ATO UM CENA DOIS

PLATAFORMA NOVE E TRÊS QUARTOS

*Que se encontra coberta do espesso vapor branco do EXPRESSO
DE HOGWARTS.*

*E igualmente buliçosa — mas, em vez de pessoas bem-vestidas
atarefadas na sua lide diária, veem-se feiticeiros e feiticeiras de longas
vestes que tentam achar forma de se despedirem da sua amada prole.*

ALBUS

Cá estamos.

LILY

Uau!

ALBUS

A plataforma nove e três quartos.

LILY

Onde é que eles estão? Estão cá? Talvez não tenham
vindo...

HARRY *aponta para* RON, HERMIONE *e a filha,* ROSE. LILY
lança-se a correr em direção a eles.

Tio Ron. Tio Ron!!!

RON *volta-se enquanto* LILY *corre disparada para ele. Ele
pega-lhe ao colo.*

RON

E não é que é a minha Potter preferida?

LILY

Tem um truque para mim?

RON

Conheces o autêntico bafo de tirar o nariz das Magias Mirabolantes dos Weasleys?

ROSE

Mãe! O pai está a fazer outra vez aquela coisa sem graça nenhuma.

HERMIONE

Tu dizes que não tem graça nenhuma, ele diz que é magnífico, e eu digo... algo entre uma coisa e outra.

RON

Espera lá. Deixa-me só tragar este... ar. E agora é só uma questão de... desculpa-me se cheiro um bocadinho a alho...

Sopra-lhe na cara. LILY *dá uma risada.*

LILY

Cheira a papas de aveia.

RON

Bing. Bang. Boing. Menina, prepara-te para deixares de poder cheirar o que quer que seja...

O nariz dela eleva-se no ar.

LILY

Onde é que está o meu nariz?

RON

Tarará!

A mão não tem nada. É um truque chocho, que não convence, mas todos o apreciam.

LILY

O tio é tonto.

ALBUS

Está toda a gente a olhar para nós outra vez.

RON

Por minha causa! Sou muito famoso. As minhas experiên-
cias com narizes são lendárias!

HERMIONE

Algo inesquecível, decerto.

HARRY

Foi fácil estacionar?

RON

Foi. A Hermione não acreditava que eu ia conseguir passar
num exame de condução Muggle, pois não? Achava que
teria de Confundir o examinador.

HERMIONE

Não achava nada disso, tenho plena confiança em ti.

ROSE

E eu tenho a certeza absoluta de que Confundiu o examinador.

RON

Olha lá!

ALBUS

Pai...

ALBUS *puxa pelas vestes de* HARRY. HARRY *baixa o olhar.*

O pai acha... e se eu for... e se eu for colocado nos Slytherin...

HARRY

E que mal teria isso?

ALBUS

Os Slytherin são a equipa da serpente, da Magia Negra...
não é uma equipa de feiticeiros corajosos.

HARRY

Albus Severus, recebeste o nome de dois diretores de Hogwarts. Um deles foi um Slytherin e provavelmente o homem mais corajoso que alguma vez conheci.

ALBUS

Mas imagine que...

HARRY

Se for realmente importante para ti, para *ti*, o Chapéu Selecionador há de ter isso em consideração.

ALBUS

A sério?

HARRY

Para mim foi.

Aquilo é algo que nunca dissera antes e fica a ecoar-lhe na mente por instantes.

Hogwarts vai fazer de ti um homem, Albus. Não tens de ter medo, juro.

JAMES

Exceto dos Thestrals. Tem cuidado com eles.

ALBUS

Pensava que eram invisíveis!

HARRY

Presta atenção aos professores, *não* ligues ao James, e não te esqueças de te divertir. Agora, se não queres perder o comboio, o melhor será entrares...

LILY

Vou correr atrás do comboio.

GINNY

Lily, vem para aqui imediatamente.

HERMIONE

Rose. Não te esqueças de dar saudades nossas ao Neville.

ROSE

Mãe, não posso mandar saudades a um professor!

Sai ROSE *para o comboio. E regressa* ALBUS, *abraçando* GINNY *e* HARRY *mais uma vez antes de lhe seguir os passos.*

ALBUS

OK, então adeus.

Sobe para o comboio. HERMIONE, GINNY, RON *e* HARRY *ficam a observar o comboio, enquanto soam apitos pela plataforma.*

GINNY

Vai correr tudo bem com eles, não vai?

HERMIONE

Hogwarts é um lugar muito grande.

RON

Grande. Maravilhoso. Cheio de comida. Dava tudo para poder voltar para lá.

HARRY

Estranho, o Al está preocupado com ser selecionado para os Slytherin.

HERMIONE

Isso não é nada. A preocupação da Rose é se consegue bater o recorde do Quidditch no primeiro ou no segundo ano. E quando poderá fazer os NPF[1].

RON

Não faço a menor ideia a quem é que ela saiu tão ambiciosa.

GINNY

E o que é que achavas, Harry, se o Al... se ele for?

---

[1] Níveis Puxados de Feitiçaria. (NT)

HARRY

Sabes, Gin, nós sempre pensámos que tu podias ser selecionada para os Slytherin.

GINNY

O quê?

RON

A sério, o Fred e o George fizeram uma aposta.

HERMIONE

Vamos embora? Sabem, as pessoas estão a olhar para nós.

GINNY

As pessoas ficam sempre a olhar quando vocês os três estão juntos. Ou quando não estão. As pessoas olham sempre para vocês.

Saem os quatro. GINNY *detém* HARRY.

Harry... ele vai ficar bem, não vai?

HARRY

Claro que sim.

ATO UM CENA TRÊS

O EXPRESSO DE HOGWARTS

ALBUS e ROSE *caminham ao longo da carruagem.*

A FEITICEIRA DO CARRINHO DOS DOCES *aproxima-se, empurrando o carrinho.*

FEITICEIRA DO CARRINHO DOS DOCES
   Querem alguma coisa do carrinho, queridos? Pastéis de Abóbora? Sapos de Chocolate? Bolo do Caldeirão?

ROSE *(apercebendo-se do olhar guloso que ALBUS deita aos Sapos de Chocolate)*
   Al. Temos de nos concentrar.

ALBUS
   Concentrar em quê?

ROSE
   Em quem escolhemos para amigos. A minha mãe e o meu pai conheceram o teu pai na primeira viagem no Expresso de Hogwarts, sabes isso...

ALBUS
   Então temos de escolher agora os amigos para a vida? Isso é bastante assustador.

ROSE

Pelo contrário, é fantástico. Eu sou Granger-Weasley, tu és Potter: toda a gente vai querer ser nossa amiga, e nós podemos escolher quem muito bem quisermos.

ALBUS

E como é que fazemos? Como é que escolhemos em que compartimento devemos entrar...

ROSE

Avaliamo-los todos e depois decidimos.

> **ALBUS** *abre a porta de um compartimento e avista um miúdo louro* — SCORPIUS —, *como único ocupante de um compartimento deserto.* **ALBUS** *sorri,* **SCORPIUS** *sorri-lhe igualmente.*

ALBUS

Olá. Este compartimento está...

SCORPIUS

Está livre. Só cá estou eu.

ALBUS

Ótimo. Então podemos só entrar... um bocadinho... se não te importares?

SCORPIUS

OK. Olá.

ALBUS

Albus. Al. Sou... chamo-me Albus.

SCORPIUS

Olá, Scorpius. Quero dizer, chamo-me Scorpius. Tu és o Albus. Eu sou o Scorpius. E tu deves ser...

> *A expressão do rosto de* ROSE *torna-se cada vez mais fria.*

ROSE

Rose.

SCORPIUS

Olá, Rose. Queres das minhas Abelhas Efervescentes?

ROSE

Obrigada, mas acabei de tomar o pequeno-almoço.

SCORPIUS

Também tenho Choques de Chocolate, Diabinhos Apimentados e umas Lesmas de Geleia. Ideias da minha mãe, que costuma dizer *(entoa)*: «Os doces ajudam-nos sempre a fazer amigos» *(apercebe-se de que cantar foi um erro)*. Uma ideia parva provavelmente.

ALBUS

Eu vou querer, sim... A minha mãe não me deixa comer doces. Por onde devo começar?

> ROSE *dá uma palmada a* ALBUS *sem* SCORPIUS *ver.*

SCORPIUS

Fácil. Sempre achei que os Diabinhos Apimentados são o melhor do saco das guloseimas. São rebuçados de menta que nos fazem deitar fumo pelas orelhas.

ALBUS

Excelente, então é por aí que eu... (ROSE *bate-lhe de novo.)* Rose, queres parar de me bater?

ROSE

Eu não estou a fazer nada.

ALBUS

Estás a bater-me, e faz doer.

> O *rosto de* SCORPIUS *entristece.*

SCORPIUS

Ela está a bater-te por minha causa.

ALBUS

O quê?

SCORPIUS

Ouve, eu sei quem tu és, portanto é justo que saibas quem eu sou.

ALBUS

O que queres dizer com isso de saberes quem sou?

SCORPIUS

Tu és o Albus Potter. Ela é a Rose Granger-Weasley. E eu sou o Scorpius Malfoy. Os meus pais são a Astoria e o Draco Malfoy. Os nossos pais... não se davam bem.

ROSE

No mínimo, isso é desvalorizar a coisa. A tua mãe e o teu pai são Devoradores da Morte!

SCORPIUS (*indignado*)

O meu pai era, mas a minha mãe não.

> **ROSE** *desvia o olhar, e* **SCORPIUS** *sabe porquê.*

Eu sei os rumores que correm, mas minha são mentira.

> *O olhar de* **ALBUS** *vai de uma* **ROSE** *constrangida para um* **SCORPIUS** *desesperado.*

ALBUS

Que... que rumores são esses?

SCORPIUS

Que os meus pais não podiam ter filhos. Que o meu pai e o meu avô estavam tão desesperados por um descendente poderoso para evitar o fim da linhagem Malfoy que... que usaram um Vira-Tempo para mandar a minha mãe para o passado...

ALBUS

Para a mandar para onde?

ROSE

Albus, o que se diz é que ele é filho do Voldemort.

> *Terrível silêncio constrangido.*

Provavelmente são só disparates. Quero dizer... olha lá, tens nariz e tudo.

A tensão abranda ligeiramente, SCORPIUS *dá uma gargalhada, pateticamente grato.*

SCORPIUS
E é tal e qual o do meu pai! Tenho os olhos dele, o cabelo e o nome. Não que seja uma grande coisa. Quero dizer... problemas entre pai e filho, também tenho disso. Mas, no geral, prefiro ser um Malfoy, estão a ver, a ser o filho do Senhor das Trevas.

SCORPIUS *e* ALBUS *entreolham-se, e algo passa entre ambos.*

ROSE
Sim, bom, se calhar devíamos sentar-nos noutro sítio. Anda, Albus.

ALBUS *medita profundamente.*

ALBUS
Não (*olhar de* ROSE), estou bem aqui. Vai tu andando...

ROSE
Albus, não vou ficar à tua espera.

ALBUS
Nem eu esperava que o fizesses. Mas eu vou ficar aqui.

ROSE *olha-o por um instante e sai do compartimento.*

ROSE
Muito bem!

SCORPIUS *e* ALBUS *ficam sós, olham um para o outro, indecisos.*

SCORPIUS
Obrigado.

ALBUS
Não, não. Não fiquei... por ti... fiquei por causa dos doces.

SCORPIUS
Ela é bastante agressiva.

ALBUS
É. Desculpa.

SCORPIUS
Não faz mal. Gosto disso. Preferes ser tratado por Albus ou por Al?

SCORPIUS *faz um grande sorriso e enfia dois rebuçados na boca.*

ALBUS (*pensa*)
Albus.

SCORPIUS (*enquanto lhe sai fumo pelas orelhas*)
OBRIGADO POR TERES FICADO POR CAUSA DOS MEUS DOCES, ALBUS!

ALBUS (*a rir-se*)
Uau.

ATO UM CENA QUATRO

CENA DE TRANSIÇÃO

E agora entramos num mundo-do-nunca de mudanças no tempo. E esta cena tem tudo que ver com magia.

As mudanças são rápidas enquanto saltamos entre os diferentes mundos. Não existem cenas completas, apenas fragmentos, estilhaços que mostram a constante progressão do tempo.

Ao início, encontramo-nos dentro de Hogwarts, no Salão Nobre, e toda a gente dança em volta de ALBUS.

POLLY CHAPMAN
Albus Potter.

KARL JENKINS
Um Potter. No nosso ano.

YANN FREDERICKS
Tem o cabelo dele. Tem o cabelo igualzinho ao dele.

ROSE
E é meu primo. *(Enquanto volteiam.)* Rose Granger--Weasley. Muito gosto.

O CHAPÉU SELECIONADOR *caminha entre os alunos que correm para as suas equipas.*
Rapidamente se torna visível que se aproxima de ROSE, *que, tensa, aguarda o seu destino.*

CHAPÉU SELECIONADOR

Este trabalho há centenas de anos faço
Na cabeça de todos os alunos pousei
Dos seus pensamentos inventários traço
Pois o famoso Chapéu Selecionador sempre serei.

O melhor escolhi, o pior selecionei
Contra ventos e marés meu trabalho executei
Ponham-me na cabeça e logo saberão
A que casa, a que equipa pertencerão...
Rose Granger-Weasley.

Coloca o chapéu na cabeça de ROSE.

GRYFFINDOR!

Ouvem-se aplausos da equipa dos Gryffindor quando ROSE
se lhes junta.

ROSE

Obrigada ao Dumbledore.

SCORPIUS *corre para tomar o lugar de* ROSE *sob o olhar fulminante do* CHAPÉU SELECIONADOR.

CHAPÉU SELECIONADOR

Scorpius Malfoy.

Ele põe o chapéu na cabeça de SCORPIUS.

SLYTHERIN!

SCORPIUS *esperava aquilo, anui e esboça um meio sorriso.
Ouvem-se aplausos da equipa dos Slytherin quando ele se
lhes junta.*

POLLY CHAPMAN

Bom, faz sentido.

ALBUS *caminha depressa até à boca de cena.*

CHAPÉU SELECIONADOR

Albus Potter.

Põe o chapéu na cabeça de ALBUS — *e desta vez parece levar mais tempo, quase como se ele próprio se sentisse confuso.*

SLYTHERIN!

Silêncio.
Um silêncio profundo e perfeito.
Um daqueles que bate fundo, se retorce um pouco e contém destruição dentro de si.

POLLY CHAPMAN

Slytherin?

CRAIG BOWKER JR.

Ena! Um Potter? Nos Slytherin?

ALBUS *olha em redor, indeciso.* SCORPIUS *sorri, deliciado, enquanto lhe grita.*

SCORPIUS

Podes ficar ao meu lado!

ALBUS (*completamente atarantado*)

Pois. Sim.

YANN FREDERICKS

Acho que afinal o cabelo não é assim tão parecido.

ROSE

O Albus? Mas isto não está bem, Albus. Não era assim que devia ser.

E de súbito uma aula de voo dada por MADAME HOOCH.

MADAME HOOCH

Bom, de que é que estão à espera? Cada um junto da sua vassoura. Vamos lá, despachem-se.

Os miúdos rapidamente se posicionam ao lado das suas vassouras.

31

Estendam a mão sobre a vossa vassoura e digam: «De pé!»

TODOS

DE PÉ!

As vassouras de ROSE e de YANN saltaram para as suas mãos.

ROSE E YANN

Boa!

MADAME HOOCH

Então, vá lá, não tenho tempo para preguiçosos. Digam «DE PÉ». «DE PÉ» com convicção.

TODOS (*exceto ROSE e YANN*)

DE PÉ!

As vassouras erguem-se, a de SCORPIUS inclusive. Apenas a de ALBUS permanece no chão.

TODOS (*exceto ROSE, YANN e ALBUS*)

BOA!

ALBUS

De pé. DE PÉ. DE PÉ.

A vassoura não se mexe. Nem um milímetro. Ele olha-a num desespero incrédulo. Ouvem-se risinhos do resto da turma.

POLLY CHAPMAN

Oh, pelas barbas de Merlim, que humilhante! Ele não sai nada ao pai, pois não?

KARL JENKINS

Albus Potter, o cepa-torta dos Slytherin.

MADAME HOOCH

OK, meninos. Toca a voar.

De súbito, HARRY aparece junto a ALBUS enquanto o vapor se estende por toda a cena. Estamos de volta à plataforma nove e três quartos, e o tempo passou impiedosamente. ALBUS *é um ano mais velho (tal como* HARRY*, embora de uma forma menos evidente).*

ALBUS

Só te peço, pai, que... se podias ficar um bocadinho mais longe de mim.

HARRY *(divertido)*

Os alunos do segundo ano não gostam de ser vistos com os pais, é isso?

Um FEITICEIRO HIPERATENTO *começa a andar em roda deles.*

ALBUS

Não, não. É só que... o pai é o pai... e eu sou eu e...

HARRY

São só pessoas a olhar, OK? É o que as pessoas fazem, olham. E estão a olhar para mim, não para ti.

O FEITICEIRO HIPERATENTO *estende algo para* HARRY *assinar. Ele assina.*

ALBUS

Para Harry Potter e para a desilusão que é o seu filho.

HARRY

O que queres dizer com isso?

ALBUS

Para Harry Potter e para o seu filho, um Slytherin.

JAMES *passa por eles apressado, levando o seu saco.*

JAMES

Slytherin, Slytherin, deixa-te de palermices, está na hora de apanhar o comboio.

HARRY

Desnecessário, James.

JAMES *(ido há muito)*
Até ao Natal, pai.

HARRY *fita* ALBUS, *preocupado.*

HARRY
Al...

ALBUS
O meu nome é Albus, não é Al.

HARRY
Os outros miúdos não são simpáticos? É isso? Talvez se tentasses fazer mais amigos. Sem a Hermione e o Ron, eu não teria sobrevivido em Hogwarts, não teria sobrevivido, ponto final.

ALBUS
Mas eu não preciso de um Ron ou de uma Hermione... eu... eu tenho um amigo, o Scorpius, e sei que o pai não gosta dele, mas ele basta-me.

HARRY
Ouve lá, desde que sejas feliz, isso é que é importante.

ALBUS
Não era preciso ter vindo pôr-me à estação, pai.

ALBUS *pega na mala e segue caminho penosamente.*

HARRY
Mas eu queria estar aqui...

Contudo, ALBUS *já se afastou. Nas suas vestes impecáveis, o rabo de cavalo feito com precisão,* DRACO MALFOY *surge de entre a multidão e posta-se ao lado de* HARRY.

DRACO
Preciso de um favor.

HARRY
Draco.

DRACO

Estes rumores... sobre a paternidade do meu filho... não deixam de correr. Os outros alunos de Hogwarts não param de implicar com o Scorpius... se o Ministério pudesse emitir um comunicado, reafirmando que todos os Vira-Tempos foram destruídos na Batalha do Departamento dos Mistérios...

HARRY

Draco, deixa a coisa passar... em breve se dedicam a outra coisa.

DRACO

O meu filho está a sofrer e... a Astoria não tem andado bem, portanto ele precisa de todo o apoio.

HARRY

Quando se reage aos boatos, alimentam-se os boatos. Há anos que existem rumores sobre o Voldemort ter tido um filho, o Scorpius não é o primeiro a ser acusado. O Ministério, para teu bem e para nosso, tem de se manter afastado dessas questões.

DRACO *franze o sobrolho, aborrecido, enquanto a cena se esvazia e* ROSE *e* ALBUS *esperam, a postos com as bagagens.*

ALBUS

Assim que o comboio arrancar, não precisas de falar comigo.

ROSE

Eu sei. Só temos de manter as aparências ao pé dos adultos.

SCORPIUS *prossegue a sua marcha — com grandes expectativas e uma mala ainda maior.*

SCORPIUS *(esperançado)*

Olá, Rose.

ROSE *(categórica)*

Adeus, Albus.

SCORPIUS (*ainda esperançado*)
Está a ficar rendida.

E, de súbito, encontramo-nos no Salão Nobre, e a PROFES-
SORA McGONAGALL *está de pé, com um grande sorriso no
rosto.*

PROFESSORA McGONAGALL
E é um prazer anunciar o mais novo membro da equipa de
Quidditch dos Gryffindor... a nossa... (*apercebe-se de que
não pode ser parcial*) a vossa nova e soberba Chaser, Rose
Granger-Weasley.

O Salão irrompe em aplausos. SCORPIUS *junta-se a todos e
bate palmas.*

ALBUS
Também lhe estás a bater palmas? Nós detestamos o Quidditch, e ela joga noutra equipa.

SCORPIUS
É tua prima, Albus.

ALBUS
Achas que ela me batia palmas a mim?

SCORPIUS
Acho que ela é espantosa.

Os alunos postam-se de novo em redor de ALBUS, *enquanto
subitamente começa uma aula de Poções.*

POLLY CHAPMAN
Albus Potter. Completamente irrelevante. Até os retratos
desviam o olhar quando ele sobe as escadas.

ALBUS *curva-se sobre uma poção.*

ALBUS
E agora acrescentamos... é corno de Bicórnio?

KARL JENKINS

Deixa-os lá, a ele mais ao filho do Voldemort.

ALBUS

Com um pouquinho só de sangue de salamandra...

A poção explode ruidosamente.

SCORPIUS

OK. Qual é o antídoto? O que é que precisamos de mudar?

ALBUS

Tudo.

E assim o tempo continua a avançar — os olhos de **ALBUS** *tornam-se mais escuros, o rosto mais pálido. Continua a ser atraente, mas não quer admiti-lo.*

E, de súbito, está mais uma vez na plataforma nove e três quartos com o pai — que continua a tentar persuadir o filho (e a si próprio) de que tudo está bem. Passou mais um ano sobre ambos.

HARRY

Terceiro ano. Um ano importante. Aqui tens a minha autorização para Hogsmeade.

ALBUS

Odeio Hogsmeade.

HARRY

Como podes detestar um sítio que de facto nunca visitaste?

ALBUS

Porque sei que vai estar cheio de alunos de Hogwarts.

ALBUS *amachuca o papel.*

HARRY

Experimenta... vá lá... é a oportunidade de fazeres maluquices nos Doces dos Duques sem a mãe saber... não, Albus, não te atrevas.

ALBUS (*empunhando a sua varinha*)
Incendio!

A bola de papel incendeia-se e sobe, atravessando a cena.

HARRY
Que coisa mais estúpida!

ALBUS
A maior ironia é que não estava à espera que funcionasse. Sou péssimo neste feitiço.

HARRY
Al... Albus, tenho trocado corujas com a Professora McGonagall... e ela diz-me que te estás a isolar... não tens cooperado nas aulas... que andas mal-humorado... que...

ALBUS
O que é que o pai quer que eu faça? Que por magia me torne popular? Que faça um feitiço para entrar noutra equipa? Que me Transfigure num aluno melhor? Faça o pai um feitiço e transforme-me naquilo que quer que eu seja, OK? Será melhor para ambos. Tenho de ir. Tenho de ir apanhar o comboio. E ir procurar um amigo.

ALBUS *corre para* SCORPIUS, *que se encontra sentado na sua mala — indiferente ao mundo.*

(*encantado*) Scorpius...

(*preocupado*) Scorpius... estás bem?

SCORPIUS *não responde.* ALBUS *tenta ler o olhar do amigo.*

A tua mãe? Está pior?

SCORPIUS
Pior não podia ser.

ALBUS *senta-se ao lado de* SCORPIUS.

ALBUS

Sempre pensei que me mandavas uma coruja...

SCORPIUS

Não sabia o que dizer.

ALBUS

E agora sou eu que não sei o que dizer...

SCORPIUS

Não digas nada.

ALBUS

Há alguma coisa...

SCORPIUS

Vem ao funeral.

ALBUS

Claro que sim.

SCORPIUS

E sê um bom amigo.

> *E, inesperadamente, o* CHAPÉU SELECIONADOR *está no meio da cena, e estamos de volta ao Salão Nobre.*

CHAPÉU SELECIONADOR

Temerosos do que tereis em breve ouvido?
Temerosos que o nome temido seja proferido?
Não o de Slytherin! Não o de Gryffindor!
Não o de Hufflepuff! Não o de Ravenclaw!
O meu trabalho sei, não vos preocupeis,
Se primeiro chorardes, a rir aprendereis.
Lily Potter. GRYFFINDOR!

LILY

Boa!

ALBUS

Ótimo.

SCORPIUS

Achavas mesmo que ela havia de se juntar a nós? Os Potters não pertencem aos Slytherin.

ALBUS

Aqui este, sim.

Enquanto ele tenta desaparecer no fundo de cena, os outros alunos riem-se. Ele ergue o olhar e enfrenta-os.

Não fui eu que escolhi, sabem disso? Não fui eu que escolhi ser filho dele.

ATO UM CENA CINCO

MINISTÉRIO DA MAGIA, GABINETE DE HARRY

HERMIONE *está sentada no gabinete desarrumado de* HARRY *com pilhas de papéis defronte dela, a inspecioná-los.* HARRY *entra, apressado. Sangra de um arranhão no rosto.*

HERMIONE
Como é que correu?

HARRY
Era verdade.

HERMIONE
E o Theodore Nott?

HARRY
Está preso.

HERMIONE
E o Vira-Tempo?

HARRY *mostra o Vira-Tempo, que cintila, sedutor.*

É verdadeiro? Funciona? Não se trata apenas de um Inversor de Horas, vai mais para trás?

HARRY
Ainda não sabemos nada. Eu quis experimentá-lo logo mas mentes mais sábias prevaleceram.

HERMIONE

Bem, agora já o temos.

HARRY

E tens a certeza de que queres guardá-lo?

HERMIONE

Acho que não temos escolha. Olha para ele. É completamente diferente do Vira-Tempo que eu tinha.

HARRY (*secamente*)

Parece que a feitiçaria evoluiu desde a nossa infância.

HERMIONE

Estás a sangrar.

> **HARRY** *vê o rosto ao espelho. Limpa a ferida com o manto.*

Não te preocupes, combina com a cicatriz.

HARRY (*com um sorriso*)

Que fazes tu no meu gabinete, Hermione?

HERMIONE

Estava ansiosa por saber do Theodore Nott e... pensei verificar se tinhas cumprido a promessa e despachado a papelada.

HARRY

Ah, parece que não.

HERMIONE

Pois não. Harry, como é que consegues trabalhar neste caos?

> **HARRY** *agita a varinha e os papéis e os livros arrumam-se em pilhas ordenadas.* **HARRY** *sorri.*

HARRY

Já não está um caos.

HERMIONE

Mas continua tudo por ler. Sabes, há aqui umas coisas interessantes... Há trolls de montanha que viajam pela Hungria montando graphorns, há gigantes com tatuagens aladas nas costas que percorrem os Mares da Grécia e os lobisomens entraram todos na clandestinidade...

HARRY

Ótimo, vamos à luta. Vou reunir a equipa.

HERMIONE

Harry, eu percebo, a papelada é uma chatice...

HARRY

Para ti não é.

HERMIONE

A minha já me dá que fazer. Temos aqui pessoas e animais que lutaram ao lado do Voldemort nas grandes guerras dos feiticeiros. São aliados do lado negro. Isto, juntamente com o que desenterrámos em casa do Theodore Nott, pode ser importante. Mas se o diretor do Departamento de Execução da Lei Mágica não lê os seus documentos...

HARRY

Mas não preciso de os ler, ando lá por fora, ouço falar das coisas. O Theodore Nott, fui eu que ouvi os rumores sobre o Vira-Tempo e fui eu que agi. Não precisas nada de me estar a ralhar.

HERMIONE *olha para* HARRY — *isto é complicado.*

HERMIONE

Queres um caramelo? Não digas ao Ron.

HARRY

Estás a mudar de assunto.

HERMIONE

Pois estou. Um caramelo?

HARRY

Não posso. De momento não andamos a comer açúcar.

Pausa curta.

Sabes que podemos ficar viciados?

HERMIONE

Que queres que te diga? Os meus pais eram dentistas, tinha de me revoltar mais cedo ou mais tarde. Aos quarenta é um bocadinho tarde, mas... acabaste de fazer uma coisa incrível. Não te estou a ralhar, só preciso que olhes para a tua papelada de vez em quando, mais nada. Aceita isso como um avisozinho da *Ministra da Magia*.

HARRY percebe a implicação no tom de voz dela e faz um gesto de assentimento.

Como está a Ginny? E o Albus?

HARRY

Parece que sou tão bom como pai como a tratar da papelada. Como está a Rose? E o Hugo?

HERMIONE (*com um sorriso*)

Sabes, o Ron acha que passo mais tempo com a minha secretária, a Ethel (*faz um gesto para fora de cena*), do que com ele. Achas que chega uma altura em que fazemos uma escolha, pai ou mãe do ano ou funcionário do Ministério do ano? Vai-te embora, Harry, vai ter com a tua família. O Expresso de Hogwarts está quase a partir para mais um ano letivo. Goza o tempo que te resta e depois volta de cabeça fresca e trata de ler estes documentos.

HARRY

Achas mesmo que isto tudo pode significar alguma coisa?

HERMIONE (*com um sorriso*)

Pode, mas se assim for, arranjamos maneira de lutar contra isso, Harry. Como sempre fizemos.

Ela volta a sorrir, enfia um caramelo na boca e sai do gabinete. HARRY fica sozinho. Arruma a pasta. Sai do gabinete e percorre um corredor. Carrega o peso do mundo sobre os ombros.

Cansado, entra numa cabina telefónica. Marca 62442.

CABINA TELEFÓNICA
Adeus, Harry Potter.

Ele sobe e sai do Ministério da Magia.

ATO UM CENA SEIS

CASA DE HARRY E GINNY POTTER

ALBUS *não consegue dormir. Está sentado no cimo das escadas. Ouve vozes lá em baixo. Ouvimos a voz de* HARRY *antes de o vermos. Está com ele um idoso numa cadeira de rodas,* AMOS DIGGORY.

HARRY

Amos, eu compreendo, a sério, mas acabei de chegar a casa e...

AMOS

Tentei marcar uma audiência no Ministério. Dizem-me: «Ah, Mr. Diggory, temos uma vaga para si, vejamos, daqui a dois meses.» Eu espero. Cheio de paciência.

HARRY

... e vir a minha casa a meio da noite... quando os meus filhos se estão a preparar para o novo ano escolar, não está certo.

AMOS

Passados os dois meses, recebo uma coruja, «Mr. Diggory, lamento muito, mas Mr. Potter foi chamado para tratar de uma questão urgente, temos de fazer uns ajustes, o senhor estará disponível para uma entrevista, vejamos, daqui a dois meses?». E isto repete-se mais vezes. Tu andas a evitar-me.

HARRY

Claro que não. É só que, como Diretor do Departamento de Execução da Lei Mágica, sou responsável...

AMOS

És responsável por muito mais coisas.

HARRY

Desculpe?

AMOS

O meu filho, o Cedric, lembras-te do Cedric, não é verdade?

HARRY (*a recordação de Cedric fá-lo sofrer*)

Sim, lembro-me do seu filho. A morte dele...

AMOS

O Voldemort queria-te a *ti*! Não ao meu filho! Foste tu mesmo quem me contou, as palavras dele foram «Mata o que está a mais». O que está a mais. O meu filho, o meu querido filho, estava a mais.

HARRY

Mr. Diggory, como sabe, compreendo os seus esforços para celebrar a memória do Cedric, mas...

AMOS

Celebrar? Não estou interessado em celebrações, já não estou. Estou velho, velho e perto da morte... e estou aqui para te pedir... para te implorar... ajuda-me a trazê-lo de volta.

HARRY *olha-o, espantado.*

HARRY

Trazê-lo de volta? Amos, isso não é possível.

AMOS

O Ministério tem um Vira-Tempo, não é verdade?

HARRY

Os Vira-Tempos foram todos destruídos.

AMOS

A razão por que vim aqui com tanta urgência é que acabei de ouvir um rumor, um rumor muito forte, em como o Ministério se apoderou de um Vira-Tempo ilegal do Theodore Nott e ficou com ele. Para investigação. Deixa-me usar esse Vira-Tempo. Deixa-me recuperar o meu filho.

Faz-se uma pausa longa e pesada. HARRY *vê-se numa posição extremamente difícil. Vemos* ALBUS *a aproximar-se e a escutar.*

HARRY

Amos, manipular o tempo? Sabe que não podemos fazer isso.

AMOS

Quantas pessoas morreram pelo Rapaz Que Sobreviveu? Estou a pedir-te que salves uma delas.

HARRY *sente-se magoado. Fica a pensar, o rosto endurecido.*

HARRY

Não sei o que é que ouviu, mas a história do Theodore Nott é uma invenção, Amos. Lamento.

DELPHI

Olá.

ALBUS *dá um salto quando* DELPHI — *uma mulher de vinte e tal anos de ar determinado* — *se mostra, a olhar para ele por entre os degraus das escadas.*

Oh, desculpa, não te queria assustar. Eu também me fartei de escutar coisas sentada nas escadas. À espera. Que alguém dissesse alguma coisa minimamente interessante.

ALBUS

Quem é você? Porque aqui é tipo a minha casa e...

DELPHI

Sou uma ladra, claro. Vou-te roubar tudo o que tens. Passa-me o teu ouro, a tua varinha e os teus Sapos de Chocolate! (*Mostra uma expressão malvada e depois sorri.*) É isso ou então sou a Delphini Diggory. (*Sobe as escadas e estende-lhe a mão.*) Delphi. Cuido dele, do Amos... bem, tento. (*Aponta para* AMOS.) E tu és...?

ALBUS (*um sorriso triste*)

O Albus.

DELPHI

É claro! O Albus Potter! Portanto, o Harry é teu pai? É assim incrível, não é?

ALBUS

Nem por isso.

DELPHI

Ah, já meti água, não foi? É o que costumavam dizer de mim na escola. A Delphini Diggory anda sempre a meter--se em sarilhos.

ALBUS

Também fazem montes de piadas com o meu nome.

Pausa curta. Ela observa-o atentamente.

AMOS

Delphi!

Ela faz menção de se ir embora, mas hesita. Sorri a ALBUS.

DELPHI

Não escolhemos a nossa família. O Amos não é apenas meu doente, também é meu tio, foi em parte por essa razão que aceitei o trabalho em Upper Flagley. Mas isso tornou as coisas mais difíceis. É difícil viver com pessoas que estão presas ao passado, não é?

AMOS

Delphi!

ALBUS

Upper Flagley?

DELPHI

O Lar de St. Oswald para Feiticeiros e Feiticeiras Idosos. Vem visitar-nos um dia qualquer. Se te apetecer.

AMOS

DELPHI!

Ela sorri e tropeça ao descer as escadas. Entra na sala onde se encontram AMOS *e* HARRY. ALBUS *fica a olhar para ela.*

DELPHI

Sim, tio?

AMOS

Apresento-te o Harry Potter, em tempos uma grande pessoa, agora um homem do Ministério de coração empedernido. Vou deixá-lo em paz, caro senhor. Se a palavra paz é a mais apropriada. Delphi, a minha cadeira...

DELPHI

Sim, tio.

AMOS *é empurrado para fora da sala.* HARRY *continua lá, com um ar desolado.* ALBUS *continua a espreitar cautelosamente e a pensar.*

ATO UM CENA SETE

CASA DE HARRY E GINNY POTTER, QUARTO DE ALBUS

ALBUS *está sentado na cama enquanto o mundo continua a girar lá fora. Imóvel em contraste com a agitação exterior. Ouvimos um berro de* JAMES *(em off).*

GINNY

Por favor, James, deixa lá o cabelo e arruma a porcaria do quarto...

JAMES

Como é que posso deixar? Está cor-de-rosa! Vou ter de usar o meu Manto da Invisibilidade!

JAMES *aparece à porta com o cabelo cor-de-rosa.*

GINNY

Não foi para isso que o teu pai te deu o Manto!

LILY

Alguém viu o meu livro de Poções?

GINNY

Lily Potter, nem penses que vais levar isso amanhã para a escola...

LILY *aparece à porta do quarto de* ALBUS. *Ostenta asas de fada que adejam.*

LILY

Adoro-as. São palpitantes.

Sai quando HARRY *aparece à porta do quarto de* ALBUS, *espreitando lá para dentro.*

HARRY

Olá.

Há um silêncio incómodo entre ambos. GINNY *surge à porta. Percebe o que se passa e demora-se um pouco.*

Vim só trazer um presente de partida para Hogwarts... uns presentes... O Ron mandou isto...

ALBUS

OK, uma poção de amor. OK.

HARRY

Acho que é uma piada sobre... sei lá o quê. A Lily recebeu gnomos flatulentos, o James um pente que faz com que o cabelo fique cor-de-rosa. O Ron... bem, o Ron é o Ron, como sabes.

HARRY *pousa a poção de amor de* ALBUS *em cima da cama.*

Eu também tenho... isto é da minha parte...

Mostra um pequeno cobertor. GINNY *olha para ele, vê que* HARRY *se está a esforçar e afasta-se de mansinho.*

ALBUS

Um cobertor velho?

HARRY

Pensei muito sobre o que te havia de dar este ano. O James... bem, o James não se calava com o Manto da Invisibilidade, e a Lily... eu sabia que ela ia adorar as asas... mas tu, agora tens catorze anos, Albus, e queria dar-te uma coisa que tivesse significado. Isto é a última coisa que tenho da minha mãe. A única. Fui entregue aos Dursleys embrulhado neste cobertor. Pensei que tinha desaparecido, e depois, quando a tua tia-avó Petunia morreu, o Dudley encontrou-o, escondido entre as coisas dela, o que é surpreendente. Foi muito amável e enviou-mo, e desde então, bem, sempre que precisei de sorte, ia buscá-lo e pegava nele, e pergunto-me se tu...

ALBUS

Se eu também lhe queria pegar? OK. Pronto. Esperemos que me traga sorte. Bem preciso dela.

Toca no cobertor.

Mas o pai é que devia ficar com ele.

HARRY

Acho... ou melhor, acredito que a Petunia queria que eu ficasse com ele, foi por isso que o guardou, e agora quero dar-to a ti. Não conheci a minha mãe, mas acho que ela teria querido que tu ficasses com ele. E talvez eu pudesse ir ter contigo, e com o cobertor, na véspera do Dia dos Mortos. Gostava de o ter comigo na noite em que eles morreram... o que podia ser bom para nós os dois...

ALBUS

Escute, tenho muita coisa para arrumar e sem dúvida que o pai tem trabalho do Ministério até à raiz dos cabelos, por isso...

HARRY

Albus, quero que aceites o cobertor.

ALBUS

E faço o quê com ele? Asas de fada fazem sentido, pai, Mantos da Invisibilidade também fazem sentido... mas isto... a sério?

HARRY *fica um pouco magoado. Olha para o filho, desesperado por chegar até ele.*

HARRY

Queres ajuda? Para fazer a mala? Sempre adorei fazer a minha mala, queria dizer que ia deixar Privet Drive e voltar para Hogwarts. O que era... bom, sei bem que tu não gostas, mas...

ALBUS

Para si, é o melhor lugar do mundo. Eu sei. O pobre órfão, maltratado pelo tio Dursley e pela tia...

HARRY

Albus, por favor... será que não podemos...

ALBUS

Traumatizado pelo primo Dudley, salvo por Hogwarts. Eu sei a história toda, pai. Blá, blá, blá...

HARRY

Não vou deixar que me provoques, Albus Potter.

ALBUS

O pobre órfão que acabou por nos salvar a todos... por isso, será que posso dizer, em nome de todos os feiticeiros, como estamos gratos pelo seu heroísmo? Temos de nos curvar ou chega uma mesura?

HARRY

Albus, por favor... sabes, nunca desejei gratidão.

ALBUS

Mas, neste momento, eu estou a transbordar de gratidão, deve ser por causa da amável oferta deste cobertor bafiento.

HARRY

Cobertor bafiento?

ALBUS

O que é que acha que ia acontecer? Que nos abraçávamos, que eu lhe dizia que sempre o amei. O quê? O quê?

HARRY (*perdendo por fim a paciência*)
Sabes uma coisa? Estou farto de ser considerado responsável pela tua infelicidade. Pelo menos, tens pai. Porque eu não tive, OK?

ALBUS
E acha que isso foi pouca sorte? Eu não acho.

HARRY
Gostavas que eu tivesse morrido?

ALBUS
Não, só queria que não fosse meu pai.

HARRY (*completamente furioso*)
Bem, há alturas em que desejo que não fosses meu filho.

> *Faz-se silêncio.* ALBUS *assente com um gesto de cabeça. Pausa.* HARRY *apercebe-se do que acabou de dizer.*

Não, não era isso que eu queria dizer...

ALBUS
Era sim.

HARRY
Albus, sabes exatamente como me deixar fora de mim...

ALBUS
Era isso mesmo que queria dizer, pai. E honestamente não lhe levo a mal.

> *Faz-se um silêncio perturbador.*

O melhor agora é deixar-me sozinho.

HARRY
Albus, por favor...

> ALBUS *pega no cobertor e atira com ele. Este vai embater na poção de amor de* RON, *que se entorna por cima do cobertor e da cama, produzindo uma pequena baforada de fumo.*

ALBUS

Pronto, para mim nem amor nem sorte.

ALBUS *sai do quarto a correr.* HARRY *vai atrás dele.*

HARRY

Albus, Albus... por favor...

ATO UM CENA OITO

SONHO, CABANA DO ROCHEDO

Ouve-se um GRANDE ESTRONDO. Segue-se um ENORME ESTOURO. DUDLEY DURSLEY, *a* TIA PETUNIA *e o* TIO VERNON *estão encolhidos de medo atrás de uma cama.*

DUDLEY DURSLEY
> Mãe, não estou a gostar nada disto.

TIA PETUNIA
> Eu sabia que era um erro ter vindo para aqui. Vernon, Vernon, não temos onde nos esconder. Nem mesmo um farol fica suficientemente longe!

> *Ouve-se outro GRANDE ESTRONDO.*

TIO VERNON
> Calma, calma. Seja lá o que for, não vai entrar aqui.

TIA PETUNIA
> Estamos amaldiçoados. Ele amaldiçoou-nos! O rapaz amaldiçoou-nos! *(Olha para o* JOVEM HARRY.*)* A culpa disto tudo é tua. Volta para o teu buraco.

> *O* JOVEM HARRY *encolhe-se quando o* TIO VERNON *aponta a espingarda.*

TIO VERNON

Quem quer que aí esteja, aviso-o... estou armado.

Ouve-se algo a ESPATIFAR-SE e a porta solta-se dos gonzos. HAGRID *está parado no umbral. Olha para todos.*

HAGRID

Podiam oferecer-me uma chávena de chá. A viagem não foi nada fácil.

DUDLEY DURSLEY

Olhem para ele.

TIO VERNON

Para trás, para trás. Atrás de mim, Petunia. Atrás de mim, Dudley. Eu despacho já este gigantoide.

HAGRID

Giganquê? *(Pega na espingarda do* TIO VERNON.*)* Há muita tempo que não vejo uma coisa destas. *(Torce o cano da espingarda e dá-lhe um nó.)* Pronto, tudo bem. *(Depois algo o distrai. Viu o* JOVEM HARRY.*)* Harry Potter.

JOVEM HARRY

Olá.

HAGRID

Da última vez que te vi, ind'eras bebé. Pareces-te muito com o teu pai, mas tens os olhos da tua mãe.

JOVEM HARRY

Conheceu os meus pais?

HAGRID

Que falta de educação a minha! Muitos parabéns. Tenho uma coisa pra ti, se calhar sentei-me em cima dela, mas o sabor é o me'mo.

Tira de dentro do casaco um bolo de chocolate um pouco esmagado com «Muitos Parabéns, Harry» escrito com açúcar verde.

JOVEM HARRY

Quem é você?

HAGRID (*a rir-se*)

É verdade, nem me apresentei. Rubeus Hagrid, guarda das chaves e dos campos em Hogwarts. (*Olha em seu redor.*) E então esse chá? Bom, nã digo que não se me derem qualquer coisa mais forte.

JOVEM HARRY

Hogquê?

HAGRID

Hogwarts. É claro que sabes tudo sobre Hogwarts?...

JOVEM HARRY

Hã... não, desculpe.

HAGRID

Desculpe? Eles é que deviam pedir desculpa. Eu sabia que não 'tavas a receber as cartas, mas, francamente, nunca pensei que não soubesses de Hogwarts! Nunca te perguntaste onde é qu'os teus pais aprenderam tudo?

JOVEM HARRY

Aprenderam o quê?

HAGRID *vira-se com ar ameaçador para o* TIO VERNON.

HAGRID

Querem dizer-me que este rapaz, este rapaz aqui, nã sabe nada de NADA?

TIO VERNON

Proíbo-o de contar ao rapaz mais o que quer que seja!

JOVEM HARRY

Contar-me o quê?

HAGRID *olha para o* TIO VERNON *e depois para o* JOVEM HARRY.

HAGRID

Harry, tu és um feiticeiro, tu mudaste tudo. Tu és o feiticeiro mais famoso do mundo inteiro.

E então, vindas do fundo da sala e envolvendo toda a gente num murmúrio, ouviram-se palavras ditas por uma voz inconfundível. A voz de VOLDEMORT...

Haaarry Potttter...

ATO UM CENA NOVE

CASA DE HARRY E GINNY POTTER, QUARTO

HARRY *acorda subitamente. Respira fundo. É de noite.*

Aguarda um momento. Tentando acalmar-se. Então sente uma dor intensa na testa. Na cicatriz. Em seu redor, a Magia Negra move-se.

GINNY

Harry...

HARRY

Tudo bem. Dorme.

GINNY

Lumos.

> *O quarto ilumina-se com a luz da sua varinha.* HARRY *olha para ela.*

Tiveste um pesadelo?

HARRY

Tive.

GINNY

Sobre o quê?

HARRY

Sobre os Dursleys... bom, começou com eles, e depois tornou-se outra coisa.

Pausa. GINNY *olha para ele, tentando descobrir onde ele está.*

GINNY

Queres uma Poção de Adormecer?

HARRY

Não. Está tudo bem. Volta a dormir.

GINNY

Não pareces bem.

HARRY *nada diz.*

(*Vendo a sua agitação.*) Não deve ter sido nada fácil... com o Amos Diggory.

HARRY

Com a ira lido eu bem, o facto de ele ter razão é que é mais difícil. O Amos perdeu o filho por minha causa...

GINNY

Não me parece que estejas a ser especialmente justo contigo próprio...

HARRY

... e não há nada que eu possa dizer... nada que possa dizer a quem quer que seja... a não ser que, na verdade, seja a coisa errada.

GINNY *sabe a que, ou melhor, a quem ele se refere.*

GINNY

Então o que é que está a perturbar-te? A noite antes de Hogwarts nunca é uma boa noite quando não se quer ir. Dar o cobertor ao Al. Foi uma boa ideia.

HARRY

Mas depois disso correu bastante mal. Eu disse algumas coisas, Ginny...

GINNY

Eu ouvi.

HARRY

E continuas a falar comigo?

GINNY

Porque sei que, quando chegar a altura exata, vais pedir desculpa. Que não era isso que querias dizer. Que aquilo que disseste encobria... outras coisas. Podes ser franco com ele, Harry... é só disso que ele precisa.

HARRY

Só gostava que ele fosse um pouco mais parecido com o James ou com a Lily.

GINNY (*secamente*)

Olha, talvez não valha a pena seres tão franco.

HARRY

Não, não mudaria nada nele... mas a eles entendo-os e...

GINNY

O Albus é diferente, e isso não é uma coisa boa? E sabes, ele percebe quando pões a tua fachada Harry Potter. O que ele quer é ver o teu verdadeiro eu.

HARRY

«A verdade é bela e terrível e deverá, por isso, ser tratada com grande cuidado.»

GINNY *olha-o, surpreendida.*

Dumbledore.

GINNY

Que coisa mais estranha para dizer a um filho.

HARRY

Não quando se crê que esse filho terá de morrer para salvar o mundo.

HARRY *solta uma exclamação abafada — e faz tudo para não tocar na cicatriz.*

GINNY

Harry, o que se passa?

HARRY

Nada. Tudo bem. Estou a ouvir-te. Vou tentar ser...

GINNY

Dói-te a cicatriz?

HARRY

Não, não. Estou bem. Agora vamos dormir. *Nox.*

GINNY

Harry, há quanto tempo é que a cicatriz não te doía?

HARRY *volta-se para* GINNY, *o seu rosto diz tudo.*

HARRY

Desde há vinte e dois anos.

ATO UM CENA DEZ

O EXPRESSO DE HOGWARTS

ALBUS *caminha rapidamente ao longo do comboio.*

ROSE
    Albus, tenho andado à tua procura...

ALBUS
    De mim? Porquê?

    ROSE *não sabe bem como há de formular o que tem para dizer.*

ROSE
    Albus, estamos no início do quarto ano, portanto o princí-
    pio de um novo ano para nós. Quero que sejamos amigos
    outra vez.

ALBUS
    Nunca fomos amigos.

ROSE
    Isso é duro! Eras o meu melhor amigo quando eu tinha
    seis anos!

ALBUS
    Isso foi há muito tempo.

    *Ele faz menção de se afastar, ela puxa-o para dentro de um
    compartimento vazio.*

ROSE

Já sabes dos rumores? Grande raide do Ministério há uns dias. Aparentemente o teu pai foi de uma coragem incrível.

ALBUS

Como é que sabes estas coisas e eu não?

ROSE

Parece que ele, o feiticeiro que eles foram prender, o Theodore Nott, acho eu, tinha todo o tipo de artefactos, que violavam todo o tipo de leis, incluindo — e foi isto que os deixou todos babados — um Vira-Tempo ilegal. E, ao que parece, de grande qualidade.

ALBUS *olha para* ROSE, *tudo parece encaixar na perfeição.*

ALBUS

Um Vira-Tempo? O meu pai encontrou um Vira-Tempo?

ROSE

Chiu! Sim. Eu sei. Incrível, não é?

ALBUS

E tens a certeza?

ROSE

Absoluta.

ALBUS

Agora tenho de ir à procura do Scorpius.

Caminha pelo comboio. ROSE *segue-o, ainda decidida a dizer o que tem para dizer.*

ROSE

Albus!

ALBUS *vira-se, resoluto.*

ALBUS

Quem é que te disse que tinhas de falar comigo?

ROSE (*surpreendida*)

OK, talvez a tua mãe tenha mandado uma coruja ao meu pai, mas só porque está preocupada contigo. E eu só acho...

ALBUS

Deixa-me em paz, Rose.

SCORPIUS *está sentado no compartimento habitual.* ALBUS *entra primeiro, ainda seguido por* ROSE.

SCORPIUS

Albus! Ah, olá, Rose, a que cheiras?

ROSE

A que é que eu *cheiro*?

SCORPIUS

Não, era uma coisa simpática. Cheiras a uma mistura de flores frescas e de... pão acabado de cozer.

ROSE

Albus, eu estou aqui, OK? Se precisares de mim.

SCORPIUS

Quero dizer, um bom pão, muito bom pão, pão... tem alguma coisa de mal, o pão?

ROSE *sai, abanando a cabeça.*

ROSE

Tem alguma coisa de mal, o pão!

ALBUS

Procurei-te por todo o lado...

SCORPIUS

E agora encontraste-me. Tará! Não que estivesse a esconder-me. Sabes que gosto de... vir cedo. Impede as pessoas de olharem. De gritarem. De me escreverem «filho de Voldemort» na mala. Nunca se fartam. Ela realmente não gosta de mim, pois não?

ALBUS *abraça o amigo. Com força. Um abraço demorado.*
SCORPIUS *fica surpreendido.*

OK. Olá. Hum... Já nos tínhamos abraçado? É costume abraçarmo-nos?

Os dois rapazes separam-se, constrangidos.

ALBUS
Foi só por causa de umas vinte e quatro horas ligeiramente esquisitas.

SCORPIUS
E o que aconteceu nessas vinte e quatro horas?

ALBUS
Explico-te mais tarde. Temos de sair deste comboio.

Ouve-se o som dos apitos. O comboio começa a andar.

SCORPIUS
Demasiado tarde. O comboio já está em andamento. Hogwarts à vista!

ALBUS
Então temos de descer de um comboio em movimento.

FEITICEIRA DO CARRINHO DOS DOCES
Alguma coisa do carrinho, queridos?

ALBUS *abre uma janela e faz menção de sair a trepar.*

SCORPIUS
Um comboio mágico em andamento.

FEITICEIRA DO CARRINHO DOS DOCES
Pastéis de Abóbora? Bolo do Caldeirão?

SCORPIUS
Albus Severus Potter, acaba com esse olhar estranho.

ALBUS

Primeira pergunta. O que sabes do Torneio dos Três Feiticeiros?

SCORPIUS

Aaah, um jogo! Três equipas escolhem três campeões para competir em três tarefas por uma Taça. O que é que isso tem a ver?

ALBUS

Tu realmente és um grande craque, sabias?

SCORPIUS

Sim, senhor.

ALBUS

Segunda pergunta. Por que razão é que há mais de vinte anos não há o Torneio dos Três Feiticeiros?

SCORPIUS

O último incluiu o teu pai e um rapaz chamado Cedric Diggory; eles decidiram ganhar juntos, mas a Taça era um Botão de Transporte, e foram ambos transportados até ao Voldemort. O Cedric foi morto. Cancelaram a competição imediatamente.

ALBUS

Muito bem. Terceira pergunta. O Cedric tinha de morrer? Pergunta fácil, de resposta fácil: não. As palavras que o Voldemort disse foram «Mata o que está a mais». O que está a mais. Ele morreu só porque estava com o meu pai, e o meu pai não pôde salvá-lo. Nós podemos. Foi cometido um erro, e nós vamos corrigi-lo. Vamos usar um Vira-Tempo e vamos trazê-lo de volta.

SCORPIUS

Albus, por razões óbvias, não sou o maior dos fãs de Vira-Tempos...

ALBUS

Quando o Amos Diggory pediu o Vira-Tempo ao meu pai,
ele chegou a negar a sua existência. Mentiu a um velho
que só queria o filho de volta... que apenas amava o filho.
E fê-lo porque lhe era indiferente... porque lhe é indiferente. Toda a gente fala de todas as coisas corajosas que
o meu pai fez. Mas também cometeu alguns erros. Alguns
erros graves, na verdade. Eu quero corrigir um desses erros.
Quero que salvemos o Cedric.

SCORPIUS

OK, o que quer que cimentava o teu cérebro parece que
acaba de estalar e partir-se.

ALBUS

Eu vou fazer isto, Scorpius. Preciso de o fazer. E sabes tão
bem como eu que vou estragar tudo se não vieres comigo.
Vá lá.

Faz um grande sorriso. E então sobe e desaparece. SCORPIUS
hesita por um momento. Faz uma careta. E em seguida iça-
-se e desaparece igualmente.

ATO UM   CENA ONZE

O EXPRESSO DE HOGWARTS, TEJADILHO

O vento assobia de todos os lados, e é um vento muito intenso.

SCORPIUS
OK, agora estamos no tejadilho do comboio, é veloz, é assustador, isto tem sido ótimo, sinto que aprendi muito sobre mim, aprendi algo sobre ti, mas...

ALBUS
Segundo os meus cálculos, devemos estar a chegar ao viaduto e depois será uma caminhada curta até ao Lar de St. Oswald para Feiticeiras e Feiticeiros Idosos...

SCORPIUS
O quê? Até onde? Olha lá, estou tão excitado como tu por ser rebelde pela primeira vez na minha vida, fixe... tejadilho do comboio, um espetáculo... mas agora... oh!

SCORPIUS *vê algo que não quer ver.*

ALBUS
A água poderá ser um último recurso extremamente útil se o nosso Feitiço de Almofadar não resultar.

SCORPIUS
Albus. A Feiticeira do Carrinho dos Doces.

ALBUS

Queres qualquer coisa para a viagem?

SCORPIUS

Não. Albus, a Feiticeira do Carrinho dos doces vem aí, na nossa direção.

ALBUS

Não, não pode ser, estamos em cima do comboio...

SCORPIUS *aponta, e agora* ALBUS *vê a* FEITICEIRA DO CARRINHO DOS DOCES, *que se aproxima com um ar despreocupado. Empurra o carrinho.*

FEITICEIRA DO CARRINHO DOS DOCES

Alguma coisinha do carrinho, queridos? Um Pastel de Abóbora? Sapos de Chocolate? Bolo do Caldeirão?

ALBUS

Oh.

FEITICEIRA DO CARRINHO DOS DOCES

As pessoas sabem pouco sobre mim. Compram-me o Bolo do Caldeirão, mas nunca reparam em mim. Não me lembro da última vez que alguém quis saber o meu nome.

ALBUS

Como é que se chama?

FEITICEIRA DO CARRINHO DOS DOCES

Não me lembro. A única coisa que vos posso dizer é que, quando o Expresso de Hogwarts foi criado, foi a própria Ottaline Gambol quem me ofereceu este emprego...

SCORPIUS

Isso foi... há cento e noventa anos. Faz isto há cento e noventa anos?

FEITICEIRA DO CARRINHO DOS DOCES

Estas mãos fizeram mais de seis milhões de Pastéis de Abóbora. Faço-os muito bem. Mas o que as pessoas não reparam nos meus Pastéis de Abóbora é quão facilmente eles se transformam em qualquer outra coisa...

Pega num Pastel de Abóbora. Arremessa-o como uma granada. Ele explode.

E nem vão acreditar no que posso fazer com os meus Sapos de Chocolate. Nunca, jamais, alguma vez, deixei alguém sair deste comboio antes de ter chegado ao seu destino. Há quem tivesse tentado: o Sirius Black e os seus comparsas, o Fred e o George Weasley. FALHARAM TODOS. PORQUE ESTE COMBOIO... NÃO GOSTA QUE AS PESSOAS SAIAM DELE...

As mãos da FEITICEIRA DO CARRINHO DOS DOCES *transformam-se em farpões muito aguçados. Ela sorri.*

Portanto façam o favor de regressar aos vossos lugares até ao final da viagem.

ALBUS

Tinhas razão, Scorpius. Este comboio é mágico.

SCORPIUS

Neste preciso momento, não sinto qualquer prazer em ter razão.

ALBUS

Mas eu também tinha razão... sobre o viaduto... lá em baixo há água, está na altura de experimentarmos o Feitiço de Almofadar.

SCORPIUS

Albus, é uma péssima ideia.

ALBUS

Será? (*Tem um momento de hesitação, mas depois percebe que não há tempo para hesitações.*) Demasiado tarde. Três. Dois. Um. *Molliare!*

Profere o encantamento ao saltar.

SCORPIUS
Albus... Albus.

Olha para baixo, procurando o amigo desesperadamente. Mira a FEITICEIRA DO CARRINHO DOS DOCES, *cada vez mais próxima. O cabelo desgrenhado. Os farpões particularmente aguçados.*

Bem, por mais pândega que a senhora pareça, tenho mesmo de ir atrás do meu amigo.

Aperta o nariz, salta no encalço de ALBUS, *ao mesmo tempo que profere o encantamento.*

Molliare!

ATO UM CENA DOZE

MINISTÉRIO DA MAGIA, SALÃO DE REUNIÕES

A cena encontra-se apinhada de feiticeiros e feiticeiras. Matraqueiam e cavaqueiam como só os verdadeiros feiticeiros sabem fazer. Entre eles, estão GINNY, DRACO *e* RON. *Acima deles, num palanque, estão* HERMIONE *e* HARRY.

HERMIONE

Ordem, ordem. Terei de conjurar silêncio? (*Silencia a sala com a sua varinha.*) Muito bem. Bem-vindos a esta Reunião Geral Extraordinária. Que satisfação tantos de vós terem conseguido estar presentes. Há muitos anos que o mundo da feitiçaria tem vivido em paz. Faz vinte e dois anos que derrotámos Voldemort na Batalha de Hogwarts, e é com enorme prazer que assinalo a existência de uma nova geração que cresceu conhecendo apenas o mínimo de conflito. Até hoje. Harry?

HARRY

Tem havido algumas movimentações por parte dos aliados de Voldemort nos últimos meses. Temos seguido trolls através da Europa, gigantes que começam a atravessar os mares, e os lobisomens... bom, é com pesar que vos digo que os perdemos de vista há umas semanas. Não sabemos onde se dirigem nem quem os encorajou a deslocar-se — mas temos conhecimento das suas movimentações e preocupa-nos o que podem significar. É por isso que vos perguntamos: alguém viu alguma coisa? Sentiu algo? Se erguerem as varinhas, ouvir-vos-emos a todos. Professora McGonagall... muito obrigado.

PROFESSORA McGONAGALL

Quando regressámos das férias de verão, pareceu-nos que os armários das Poções tinham sido remexidos, mas não faltava uma grande quantidade de ingredientes, alguma pele de Serpente das Árvores e algumas moscas--asa-de-renda, nada da Lista dos Ingredientes Proibidos. Atribuímo-lo ao Peeves.

HERMIONE

Obrigada, professora. Vamos investigar o caso. (*Olha em volta da sala.*) Mais alguém? Muito bem, e, o que é mais sério, o que não sucede desde o Voldemort, a cicatriz do Harry está a doer-lhe de novo.

DRACO

O Voldemort morreu, o Voldemort está morto.

HERMIONE

Sim, Draco, o Voldemort está morto, mas todas estas coisas nos levam a pensar na hipótese de que ele ou algum vestígio dele possa ter regressado.

A *assembleia reage a estas palavras.*

HARRY

Bem, isto é difícil, mas temos de fazer a pergunta, para podermos excluir essa possibilidade. Aqueles que de entre vós têm uma Marca Negra... têm sentido alguma coisa? Uma ferroada sequer?

DRACO

Estamos outra vez com preconceitos em relação aos que têm uma Marca Negra, não estamos, Harry Potter?

HERMIONE

Não, Draco. O Harry está simplesmente a tentar...

DRACO

Sabem do que se trata? É só o Harry que quer ver a cara dele nos jornais mais uma vez. Todos os anos, uma vez por ano, ouvimos rumores do regresso do Voldemort n'O *Profeta Diário*...

HARRY

Esses boatos nunca vieram de mim!

DRACO

A sério? Não é a tua mulher que é editora d'O *Profeta Diário*?

Indignada, GINNY *dá um passo na direção dele.*

GINNY

Da secção de desporto!

HERMIONE

Draco, o Harry chamou a atenção para esta questão junto do Ministério... e eu, enquanto Ministra da Magia...

DRACO

Uma votação que ganhaste apenas por seres amiga dele.

GINNY *impede* RON *de avançar sobre* DRACO.

RON

Queres um soco nessa boca ou quê?

DRACO

Reconhece o facto: a fama dele tem impacto em todos vocês. E que melhor maneira de pôr toda a gente a sussurrar o nome Potter outra vez senão com (*imita a voz de* HARRY) «dói-me a cicatriz, dói-me a cicatriz». E sabem o que tudo isto significa? Que, uma vez mais, os mexeriqueiros têm oportunidade de difamar o meu filho com esses boatos ridículos sobre a sua filiação.

HARRY

Draco, ninguém está a dizer que isto tenha algo que ver com o Scorpius...

DRACO

Bom, cá para mim, esta reunião é uma farsa. E eu vou-me embora.

Sai. Outros começam a dispersar, seguindo-o.

HERMIONE

Não. Isso não é a forma de... voltem. Precisamos de uma estratégia.

ATO UM CENA TREZE

LAR DE ST. OSWALD PARA FEITICEIRAS E FEITICEIROS IDOSOS

Isto é o caos. Isto é magia. Isto é o Lar de St. Oswald para Feiticeiras e Feiticeiros Idosos e é tão maravilhoso como se poderá imaginar.

Os andarilhos ganham vida, a lã dos novelos é encantada num caos, e os enfermeiros são obrigados a dançar o tango.

Trata-se de pessoas que se libertaram do fardo de fazer magia com um objetivo e que agora a praticam para se divertirem. E como se divertem...

ALBUS e SCORPIUS entram, olhando em seu redor, divertidos e — verdade seja dita — um pouco assustados.

ALBUS E SCORPIUS

Hã... por favor... Por favor. POR FAVOR!

SCORPIUS

OK, este lugar é uma loucura.

ALBUS

Estamos à procura do Amos Diggory.

Faz-se um silêncio súbito e profundo. Fica tudo instantaneamente imóvel. E levemente deprimido.

MULHER DA LÃ

E qu'é qu'os meninos querem desse velho cretino?

DELPHI *aparece com um sorriso.*

DELPHI

Albus? Albus? Vieste? Que maravilha! Vem dizer olá ao Amos!

ATO UM CENA CATORZE

LAR DE ST. OSWALD PARA FEITICEIRAS E FEITICEIROS IDOSOS, QUARTO DE AMOS

AMOS *olha para* SCORPIUS *e* ALBUS, *irritado.* DELPHI *observa os três.*

AMOS

Vamos lá a ver se percebo. Vocês ouviram uma conversa que não se destinava aos vossos ouvidos e decidiram sem mais delongas — de facto, sem autorização — interferir, e de que maneira, nos assuntos de outra pessoa.

ALBUS

O meu pai mentiu-lhe. Eu sei que sim, eles têm mesmo um Vira-Tempo.

AMOS

É claro que têm. E agora podem pôr-se a andar.

ALBUS

O quê? Não, viemos ajudar.

AMOS

Ajudar? De que é que me serve um par de adolescentes minorcas?

ALBUS

O meu pai provou que não é preciso ser-se adulto para mudar o mundo da feitiçaria.

AMOS

Por isso, eu devia deixar que vocês se envolvessem porque és um Potter? Estás a contar com o teu nome famoso, não é?

ALBUS

Não!

AMOS

Um Potter que ficou na equipa dos Slytherin, sim, li tudo sobre ti, e que traz com ele um Malfoy para me visitar? Um Malfoy que pode ser um Voldemort? Quem é que sabe se não estão envolvidos em Magia Negra?

ALBUS

Mas...

AMOS

A vossa informação foi óbvia, mas a confirmação é útil. O teu pai mentiu mesmo. Agora vão-se embora, os dois. E parem de me fazer perder tempo.

ALBUS *(com autoridade e firmeza)*

Não, tem de me ouvir, foi o senhor que disse que o meu pai tem sangue nas mãos. Deixe-me ajudá-lo a mudar isso. Deixe-me ajudá-lo a corrigir um dos erros dele. Confie em mim.

AMOS *(erguendo a voz)*

Não me ouviste, rapaz? Não vejo razão para confiar em ti. Portanto, vai-te. Já. Antes que eu te *obrigue*.

Ergue a varinha ameaçadoramente. ALBUS *olha para a varinha e fica desencorajado.* AMOS *derrotou-o.*

SCORPIUS

Anda daí, meu, se há uma coisa em que somos bons é saber onde não somos desejados.

ALBUS *mostra-se relutante em partir.* SCORPIUS *puxa-o pelo braço. Ele vira-se e afastam-se.*

DELPHI

Sei de uma razão pela qual devia confiar neles, tio.

Os rapazes param.

São os únicos que se ofereceram para ajudar. Estão preparados para se arriscarem corajosamente para trazer o seu
filho para junto de si. Na verdade, tenho quase a certeza
de que já se arriscaram só por vir aqui...

AMOS

Estamos a falar do Cedric...

DELPHI

E não foi o senhor quem disse que ter alguém dentro de
Hogwarts pode ser uma vantagem enorme?

> DELPHI *beija* AMOS *no cimo da cabeça.* AMOS *olha para ela e
> vira-se para olhar para os rapazes.*

AMOS

Porquê? Por que razão querem correr esse risco? O que é
que ganham com isso?

ALBUS

Sei o que é ser o que está a mais. O seu filho não merecia
ter sido morto, Mr. Diggory. Podemos ajudá-lo a trazê-lo
de volta.

AMOS (*mostrando-se por fim comovido*)

O meu filho... o meu filho foi o que tive de melhor... e tens
razão, foi uma injustiça, uma injustiça horrenda... Se estão
a falar a sério...

ALBUS

O mais a sério possível.

AMOS

Vai ser perigoso.

ALBUS

Nós sabemos.

SCORPIUS

Sabemos?

AMOS

Delphi, talvez se não te importasses de os acompanhar?

DELPHI

Se isso o deixa feliz, tio.

Sorri a ALBUS, *que lhe devolve o sorriso.*

AMOS

Compreendem, não é verdade, que só ir buscar o Vira-
-Tempo põe as vossas vidas em risco.

ALBUS

Estamos prontos a fazê-lo.

SCORPIUS

Estamos?

AMOS *(em tom grave)*

Espero que tenham coragem para isso.

ATO UM CENA QUINZE

CASA DE HARRY E GINNY POTTER, COZINHA

HARRY, RON, HERMIONE *e* GINNY *estão sentados a comer.*

HERMIONE

Estou farta de dizer ao Draco que não é ninguém do Ministério que anda a dizer coisas sobre o Scorpius. Os rumores não vêm de nós.

GINNY

Eu escrevi-lhe depois de ele ter perdido a Astoria para perguntar se havia alguma coisa que pudéssemos fazer. Pensei que talvez o Scorpius, como era tão amigo do Albus, quisesse ficar aqui uma parte das férias de Natal... A minha coruja voltou com uma carta que só tinha uma frase: «Diz ao teu marido que refute estas alegações sobre o meu filho de uma vez por todas.»

HERMIONE

Está obcecado.

GINNY

Está destroçado e a sofrer.

RON

Lamento a perda dele, mas quando ele acusa a Hermione de... bem... *(olha para* HARRY*).* Olha lá, meu chato, como lhe estou sempre a dizer, pode não ser nada.

HERMIONE

A mim?

RON

Os trolls podem estar a ir para uma festa, os gigantes a um casamento, tu podes estar a ter pesadelos por andares preocupado com o Albus e pode doer-te a cicatriz porque estás a ficar velho.

HARRY

A ficar velho? Obrigado, pá.

RON

A sério, sempre que me sento sai-me um suspiro. Assim, um «uff». E os meus pés, os meus pés estão a dar cabo de mim... Podia escrever uma data de canções sobre as minhas dores de pés... talvez se passe o mesmo com a tua cicatriz.

GINNY

Só estás para aí a dizer disparates.

RON

É a minha especialidade. Isso e a minha gama de Pastilhas do Fanico. E o meu amor por todos vocês. Até mesmo pela magricela da Ginny.

GINNY

Se não te portares bem, Ronald Weasley, vou dizer à mãe.

RON

Não te atrevias.

HERMIONE

Se sobreviveu alguma parte do Voldemort, sob uma forma qualquer, temos de estar preparados. E tenho medo.

GINNY

Eu também.

RON

Não há nada que me assuste, para além da mãe.

HERMIONE

Estou a falar a sério, Harry, em relação a isto não vou ser como o Cornelius Fudge. Não vou enfiar a cabeça na areia. E não quero saber se isso me torna ainda menos popular junto do Draco Malfoy.

RON

Tu nunca gostaste lá muito de ser popular, pois não?

> HERMIONE *lança um olhar furioso a* RON *e faz menção de lhe bater mas* RON *desvia-se.*

Falhaste.

> GINNY *bate em* RON. *Este encolhe-se.*

Acertaste. E com toda a força.

> *De súbito entra uma coruja. Abranda o voo e deixa cair uma carta no prato de* HARRY.

HERMIONE

É um bocado tarde para uma coruja, não é?

> HARRY *abre a carta. Surpreendido.*

HARRY

É da Professora McGonagall.

GINNY

O que é que diz?

> HARRY *mostra-se aflito.*

HARRY

Ginny, é o Albus... O Albus e o Scorpius... não chegaram à escola. Estão desaparecidos!

ATO UM   CENA DEZASSEIS

WHITEHALL, CAVE

SCORPIUS *observa atentamente um frasco.*

SCORPIUS

Portanto, bebemos isto e pronto?

ALBUS

Scorpius, será que preciso de te explicar, a ti que és o super-cromo e o melhor da aula de Poções, quais são os efeitos da poção Polissuco? Graças ao incrível trabalho de preparação da Delphi, vamos beber esta poção e transformamo-nos e, disfarçados, podemos entrar no Ministério da Magia.

SCORPIUS

OK, duas questões, primeira, dói?

DELPHI

Muito... tanto quanto sei.

SCORPIUS

Obrigado. É bom saber. Segunda, algum de vocês sabe qual é o sabor? É que ouvi dizer que sabia a peixe e, se assim for, vomito-a logo a seguir. Não gosto de peixe. Nunca gostei, nunca hei de gostar.

DELPHI

Ficamos avisados. (*Engole a poção.*) Não sabe a peixe. (*Começa a transformar-se. É doloroso.*) Na verdade, até sabe bem... hum. Dói, mas... (*Dá um grande arroto.*) Retiro o que disse. Há um... leve... (*Arrota outra vez e transforma-se em* HERMIONE.) No fim, há um leve... um sabor muito intenso a peixe.

ALBUS
OK, é... uau!

SCORPIUS
Duas vezes uau!

DELPHI/HERMIONE
Não é bem como eu... até a minha voz é como a dela! Três vezes uau!

ALBUS
Certo. A seguir sou eu.

SCORPIUS
Nem penses. Se vamos fazer isto, fazemo-lo (*com um sorriso, põe uns óculos com aspeto muito familiar*) juntos.

ALBUS
Três, dois, um.

Engolem.

Não, é bom. (*Torce-se de dores.*) Já não é tão bom.

Começam ambos a transformar-se e é extremamente doloroso.
ALBUS *transforma-se em* RON, SCORPIUS *em* HARRY.
Olham um para o outro. Faz-se silêncio.

ALBUS/RON
Isto vai ser um bocado esquisito, não vai?

SCORPIUS/HARRY (*num tom dramático, está a divertir-se imenso*)
Vai para o teu quarto, vai imediatamente para o teu quarto. Tens sido um filho absolutamente horrível.

ALBUS/RON (*a rir-se*)
Scorpius...

SCORPIUS/HARRY *(lançando o manto sobre os ombros)*
A ideia foi tua... eu ser ele e tu seres o Ron! Só me quero divertir um bocadinho antes de... *(E então arrota muito alto.)* OK, é completamente nojenta.

ALBUS/RON
Sabes, ele disfarça bem, mas o tio Ron está a ficar com uma bela pança.

DELPHI/HERMIONE
Devíamos ir... não vos parece?

> *Chegam à rua. Entram numa cabina telefónica. Marcam 62442.*

CABINA TELEFÓNICA
Bem-vindo, Harry Potter. Bem-vinda, Hermione Granger. Bem-vindo, Ron Weasley.

> *Eles sorriem enquanto a cabina telefónica desaparece pelo chão abaixo.*

ATO UM   CENA DEZASSETE

MINISTÉRIO DA MAGIA, SALA DE REUNIÕES

HARRY, HERMIONE, GINNY e DRACO *andam de um lado para o outro numa pequena sala.*

DRACO
Procurámos como devia ser junto à linha do comboio...?

HARRY
O meu departamento já procurou uma vez e está a procurar de novo.

DRACO
E a Feiticeira do Carrinho dos Doces não tem nada de útil para nos dizer?

HERMIONE
Está furiosa. Não se cala com ter desiludido a Ottaline Gambol. Tem orgulho no seu registo de entregas em Hogwarts.

GINNY
Houve algum episódio de magia relatado pelos Muggles?

HERMIONE
Até agora, nada. Informei o primeiro-ministro dos Muggles, e ele deu entrada ao que é designado por «pess-des». Parece um feitiço. Não é.

DRACO

Então agora dependemos dos Muggles para encontrar os nossos filhos? Também lhes contámos da cicatriz do Harry?

HERMIONE

Só pedimos a ajuda dos Muggles. E ninguém sabe como é que a cicatriz do Harry pode estar envolvida, mas é certamente uma questão que levamos a sério. Os nossos Aurors estão a investigar todos os envolvidos em Magia Negra e...

DRACO

Isto não tem nada que ver com os Devoradores da Morte.

HERMIONE

Não sei se partilho dessa tua confiança...

DRACO

Não se trata de confiança, tenho a certeza. O tipo de cretinos que hoje em dia usa Magia Negra! O meu filho é um Malfoy, não se atreviam.

HARRY

A não ser que haja algo de novo lá por fora, algo que...

GINNY

Concordo com o Draco. Se for um rapto... percebo terem levado o Albus, agora levar os dois...

> **HARRY** *cruza o olhar com* **GINNY**. *É óbvio o que ela quer que ele diga.*

DRACO

E o Scorpius é do tipo de seguir os outros, não é um líder, apesar de tudo o que tentei ensinar-lhe. Por isso, não há dúvida de que foi o Albus que o levou do comboio... e a minha pergunta é: para onde o levaria?

GINNY

Harry, eles fugiram e ambos o sabemos.

> **DRACO** *repara que o casal olha um para o outro.*

DRACO
Sabem? O que é que não nos estão a contar?

Faz-se silêncio.

Seja qual for a informação que nos estão a esconder, recomendo-vos que a partilhem agora.

HARRY
Eu e o Albus tivemos uma discussão, anteontem.

DRACO
E...

HARRY *hesita e depois olha de frente para* DRACO, *cheio de coragem.*

HARRY
E eu disse-lhe que havia alturas em que desejava que ele não fosse meu filho.

Faz-se novo silêncio. Um silêncio profundo e intenso. E depois DRACO *dá um passo ameaçador na direção de* HARRY.

DRACO
Se acontecer alguma coisa ao Scorpius...

GINNY *avança para o meio de ambos.*

GINNY
Não te ponhas para aí com ameaças, Draco, por favor não faças isso.

DRACO *(aos berros)*
O meu filho desapareceu!

GINNY *(também aos berros)*
E o meu também!

Ele aguenta o olhar dela. Uma forte emoção parece encher a sala.

DRACO (*o lábio retorcido, igualzinho ao pai*)
Se precisarem de ouro... de tudo o que os Malfoys têm...
ele é o meu único herdeiro... ele é... a única família que
me resta.

HERMIONE
O Ministério tem muitas reservas, obrigada, Draco.

DRACO *faz menção de sair. Detém-se. Olha para* HARRY.

DRACO
Não quero saber do que fizeste ou de quem salvaste, és uma
maldição constante para a minha família, Harry Potter.

ATO UM CENA DEZOITO

MINISTÉRIO DA MAGIA, CORREDOR

SCORPIUS/HARRY
E tens a certeza de que está aqui?

Um GUARDA *passa por eles.* SCORPIUS/HARRY *e* DELPHI/HER-MIONE *tentam representar o seu papel.*

Sim, senhora Ministra, tenho a certeza de que é uma questão para o Ministério refletir com calma.

GUARDA *(com um gesto de cabeça)*
Senhora Ministra.

DELPHI/HERMIONE
Vamos refletir juntos.

O GUARDA *afasta-se. Eles soltam um suspiro de alívio.*

A ideia de usar o Veritaserum foi do meu tio. Deitámo-lo na bebida de um alto funcionário do Ministério que nos visitou. Ele contou-nos que o Vira-Tempo fora guardado e até nos disse onde, no próprio gabinete da Ministra da Magia.

Indica uma porta. De súbito ouvem um ruído.

HERMIONE *(em voz off)*
Harry... devíamos falar disto...

HARRY *(em voz off)*
Não há nada para falarmos.

DELPHI/HERMIONE
Oh, não.

ALBUS/RON
A Hermione. E o meu pai.

O pânico é instantâneo e contagioso.

SCORPIUS/HARRY
OK, esconderijos. Não há esconderijos. Alguém sabe algum
Encantamento de Invisibilidade?

DELPHI/HERMIONE
Entramos... no gabinete dela?

ALBUS/RON
Ela deve ir para lá.

DELPHI/HERMIONE
Não há mais sítio nenhum.

Experimenta abrir a porta. Volta a tentar.

HERMIONE *(em voz off)*
Se não falares comigo ou com a Ginny sobre isto...

SCORPIUS/HARRY
Afastem-se. *Alohomora!*

*Aponta a varinha à porta. A porta abre-se. Ele sorri...
deliciado.*

Albus, entretém-na. Tens de ser tu.

HARRY *(em voz off)*
O que é que há para dizer?

ALBUS/RON

Eu? Porquê?

DELPHI/HERMIONE

Bem, não pode ser nenhum de nós, pois não? Nós *somos* eles.

HERMIONE (*em voz off*)

O que tu disseste foi obviamente errado... mas há aqui mais fatores em jogo do que...

ALBUS/RON

Mas eu não consigo... não consigo...

Há uma pequena agitação e depois ALBUS/RON *fica do lado de fora da porta no momento em que* HERMIONE *e* HARRY *entram em cena.*

HARRY

Hermione, agradeço-te a tua preocupação, mas não há necessidade...

HERMIONE

Ron?

ALBUS/RON

Surpresa!!!

HERMIONE

O que estás a fazer aqui?

ALBUS/RON

Um homem precisa de uma desculpa para vir ver a mulher?

Dá um beijo decidido a HERMIONE.

HARRY

Tenho de me ir embora...

HERMIONE

A minha opinião é que, diga o Draco o que disser, aquilo que tu disseste ao Albus... Acho que não é bom para nenhum de nós ficares a matutar nisso...

ALBUS/RON

Oh, estão a falar do que o Harry disse que às vezes desejava que eu... *(corrige-se)* que o Albus não fosse filho dele.

HERMIONE

Ron!

ALBUS/RON

É melhor deitar cá para fora do que guardar, é a minha opinião...

HERMIONE

Ele lá saberá... todos nós dizemos coisas que não sentimos. Ele sabe disso.

ALBUS/RON

Mas se às vezes dissermos coisas que sentimos mesmo... como é?

HERMIONE

Ron, francamente, não me parece a melhor altura.

ALBUS/RON

É claro que não. Adeus, querida.

ALBUS/RON *fica a vê-la afastar-se, na esperança de que passe pelo gabinete e continue o caminho. Mas é claro que isso não acontece. Ele corre para a impedir de abrir a porta. Põe-se à frente dela uma vez, e mais outra vez, balançando as ancas.*

HERMIONE

Porque estás a impedir-me de entrar no meu gabinete?

ALBUS/RON

Não estou a impedir-te de nada.

Ela dirige-se de novo à porta, ele tapa-lhe de novo o caminho.

HERMIONE

Estás, sim senhor. Deixa-me entrar no meu gabinete, Ron.

ALBUS/RON
Vamos ter outro filho.

HERMIONE *tenta passar por ele.*

HERMIONE
O quê?

ALBUS/RON
Ou então, se não for um filho, vamos fazer umas férias. Quero um filho ou umas férias e vou continuar a insistir. Falamos disto mais logo, querida?

Ela tenta entrar no gabinete pela última vez, e ele impede-a com um beijo. Que se transforma numa luta animada.

Talvez com uma bebida no Caldeirão Escoante? Amo-te.

HERMIONE *(cedendo)*
Se houver ali dentro outra bombinha de mau cheiro, nem o Merlim te poderá ajudar. Ótimo. De qualquer modo, temos de ir dar as últimas informações aos Muggles.

Sai de cena. HARRY *sai com ela.*
ALBUS/RON *vira-se para a porta.* HERMIONE *volta a entrar em cena, desta vez sozinha.*

Um filho OU umas férias? Há dias em que não bates mesmo nada bem da bola, sabias?

ALBUS/RON
Foi por isso que casaste comigo, não foi? Pelo meu sentido de humor endiabrado.

Ela volta a sair. Ele começa a abrir a porta, mas ela reaparece e ele fecha-a com força.

HERMIONE
Soube-me a peixe. Já te disse para não comeres aquelas sandes de panados de peixe.

ALBUS/RON
Tens toda a razão.

Ela sai. Ele verifica se ela se foi mesmo embora e abre a porta, muito aliviado.

ATO UM CENA DEZANOVE

MINISTÉRIO DA MAGIA, GABINETE DE HERMIONE

SCORPIUS/HARRY e DELPHI/HERMIONE *aguardam no lado oposto ao da porta do gabinete de* HERMIONE *quando entra* ALBUS/RON, *que se senta, exausto.*

ALBUS/RON
Isto é tudo estranhíssimo.

DELPHI/HERMIONE
Foste impressionante. Que bela ação de bloqueio.

SCORPIUS/HARRY
Não sei se hei de dar-te mais cinco ou lançar-te um olhar reprovador por beijares a tua tia aí umas quinhentas vezes!

ALBUS/RON
O Ron é um tipo carinhoso. Estava a tentar distraí-la, Scorpius. E consegui.

SCORPIUS/HARRY
E temos ainda o que o teu pai disse...

DELPHI/HERMIONE
Meninos... ela há de estar a chegar, não temos muito tempo.

ALBUS/RON (*para* SCORPIUS/HARRY)
Ouviste aquilo?

DELPHI/HERMIONE

Onde é que a Hermione esconderia um Vira-Tempo? (*Olha em volta da sala e vê as estantes.*) Procurem nas estantes.

Começam à procura. SCORPIUS/HARRY *olha para o amigo, preocupado.*

SCORPIUS/HARRY

Porque não me contaste?

ALBUS/RON

O meu pai disse que desejava que eu não fosse filho dele. Não é um bom início de conversa...

SCORPIUS/HARRY *tenta pensar no que dizer.*

SCORPIUS/HARRY

Eu sei que... a coisa do Voldemort não é... verdade... e tu também sabes, mas às vezes acho que consigo ver o meu pai a pensar: como é que eu produzi uma coisa destas?

ALBUS/RON

O que é melhor que o meu pai. Tenho quase a certeza de que passa a maior parte do tempo a pensar: como é que eu o devolvo?

DELPHI/HERMIONE *tenta puxar* SCORPIUS/HARRY *para as estantes.*

DELPHI/HERMIONE

Talvez nos pudéssemos concentrar na tarefa que temos entre mãos.

SCORPIUS/HARRY

O que quero dizer é que há uma razão... somos amigos, Albus... há uma razão para nos termos encontrado, estás a ver? E o que quer que esta... aventura acabe por ser...

Nesse momento, avista um livro numa prateleira que o faz franzir o sobrolho.

Já viram os livros nas prateleiras? Há aqui livros que são um caso sério. Livros banidos. Livros amaldiçoados.

ALBUS/RON

Como distrair o Scorpius de questões emocionais difíceis. Levem-no a uma biblioteca.

SCORPIUS/HARRY

Todos os livros da Secção Restrita e outros mais. *As Magias mais Tenebrosas, Demónios do Século* XV *e Sonetos de Um Feiticeiro*, isto nem sequer é autorizado em Hogwarts!

ALBUS/RON

Sombras e Espíritos. O Guia da Beladona para a Necromancia.

DELPHI/HERMIONE

São um espetáculo, não são?

ALBUS/RON

A Verdadeira História do Fogo de Opala. A Maldição Imperius e como Abusar Dela.

SCORPIUS/HARRY

E topa-me só este. Uau. *Os Meus Olhos e como Ver para além Deles*, de Sybill Trelawney. Um livro sobre divinação. A Hermione Granger odeia divinação. Isto é fascinante. É um achado...

Tira o livro da estante. O livro abre-se. E começa a falar.

LIVRO

A primeira é a quarta, uma posição que logrará
Em plantada achá-la-ás mas planta não será.

SCORPIUS/HARRY

OK. Um livro que fala. Um bocado esquisito.

LIVRO

A segunda do latim mais antigo provém
E no final da clara do ovo se obtém
E a terceira à montanha se há de trepar.

ALBUS/RON

É uma adivinha. Está a dizer-nos uma adivinha.

LIVRO

Para a metade das torres se achar.

DELPHI/HERMIONE

O que é que fizeste?

SCORPIUS/HARRY

Eu, hã, eu abri um livro. Algo que, em todos os meus anos neste planeta, nunca foi uma atividade particularmente perigosa.

Os livros esticam-se e agarram ALBUS, *que consegue esquivar-se no último instante.*

ALBUS/RON

O que foi aquilo?

DELPHI/HERMIONE

Ela armadilhou-a. Armadilhou a biblioteca. É aqui que há de estar o Vira-Tempo. Deciframos a adivinha e encontramo-lo.

ALBUS/RON

A primeira é a quarta. Em plantada achá-la-ás mas planta não será. Da... Dê...

Os livros começam a tentar engolir DELPHI/HERMIONE.

SCORPIUS/HARRY

A segunda do latim mais antigo provém e no final da clara do ovo se obtém...

DELPHI/HERMIONE (*efusivamente*)

Então, clara do ovo... albúmen... men! De — men — tor. Precisamos de encontrar um livro sobre os Dementors (*a estante puxa-a para o seu interior*), Albus!

ALBUS/RON

Delphi! O que se passa?

SCORPIUS/HARRY

Concentra-te, Albus. Faz o que ela te diz. Encontra um livro sobre os Dementors e tem muito cuidado.

ALBUS/RON

Está aqui. *Como Dominar os Dementors: Uma História Verdadeira de Azkaban.*

O livro abre-se e balança-se perigosamente na direção de SCORPIUS/HARRY, *que tem de se esquivar. Cai com violência sobre uma estante que tenta devorá-lo.*

LIVRO

Numa jaula nasci
Que com raiva destruí
O Gaunt dentro de mim
Dum Riddle me libertou
Que não me deixaria ser quem sou.

ALBUS/RON

O Voldemort.

DELPHI *emerge de entre os livros, de novo sob a sua forma.*

DELPHI

Mais rápido!

É de novo puxada para os livros, gritando.

ALBUS/RON

Delphi! Delphi!

Tenta agarrá-la, mas ela desaparece.

SCORPIUS/HARRY

Transformou-se outra vez nela própria, reparaste?

ALBUS/RON

Não! Estava mais preocupado com ela ser devorada por uma estante! Descobre. Qualquer coisa. O que quer que seja sobre ele.

Encontra um livro.

O Herdeiro de Slytherin. Achas que sim?

Arranca o livro da prateleira, o livro puxa-o, ALBUS/RON *é devorado pela estante.*

SCORPIUS/HARRY

Albus? Albus!

Mas ALBUS/RON *desaparece.*

OK. Aquele não. Voldemort. Voldemort. Voldemort.

Passa as prateleiras a pente fino.

Marvolo: A Verdade, este deve ser...

Abre o livro. De novo este lhe foge, balançando no ar, revelando uma luz faiscante e uma voz mais grave que a anterior.

LIVRO

Eu sou a criatura que não viste.
Eu sou tu. Eu sou eu. O eco que não previste.
Por vezes à frente, outras atrás estou,
Ligados estamos, companhia constante sou.

ALBUS *emerge de entre os livros. Sob a sua forma.*

SCORPIUS/HARRY

Albus...

Tenta agarrá-lo.

ALBUS

Não. Limita-te a... PENSAR.

ALBUS é de novo puxado violentamente para dentro da estante.

SCORPIUS/HARRY

Mas não consigo... um eco invisível, o que é isso? A única coisa em que sou bom é a pensar e, quando preciso de pensar... não consigo.

Os livros puxam-no para o seu interior; ele está impotente.
É aterrador.
Silêncio.
Em seguida, BUM, uma enxurrada de livros solta-se da estante, e torna a emergir SCORPIUS, afastando livros com estrondo.

SCORPIUS

Não! Não consegues vencer-me! Sybill Trelawney. Não!

Olha em redor, afundado em livros mas cheio de energia.

Isto está tudo errado. Albus? Consegues ouvir-me? Tudo por causa dum maldito Vira-Tempo. Pensa, Scorpius. Pensa.

Os livros arremetem e agarram-no.

Uma companhia constante. Às vezes atrás. Às vezes à frente. Espera lá. Falhou-me. Sombra. És uma sombra. *Sombras e Espíritos. Deve ser...*

Trepa pela estante, o que é horrivelmente assustador, pois ela insurge-se contra ele, agarrando-o a cada passo que dá. Puxa o livro da prateleira. O livro é retirado, e o ruído e o caos param de súbito.

É...?

Um grande estilhaço inesperado, e ALBUS e DELPHI caem das prateleiras para o meio do chão.

Conseguimos. Derrotámos a biblioteca.

ALBUS

Delphi, estás...?

DELPHI

Uau. Mas que aventura esta.

ALBUS *repara no livro que* SCORPIUS *segura, encostado ao peito.*

ALBUS

É esse? Scorpius? O que tem esse livro?

DELPHI

Acho que devemos ver, não acham?

SCORPIUS *abre o livro. No interior, ao centro, um Vira-Tempo a girar.*

SCORPIUS

Achámos o Vira-Tempo... Nunca pensei que chegássemos tão longe.

ALBUS

Agora que temos isto, meu, a próxima etapa é salvar o Cedric. A nossa jornada mal começou.

SCORPIUS

Mal começou e quase nos deixou meio mortos. Muito bem. Isto vai ser excelente.

Murmúrios sobem de tom até um clamor. Escuro total.

INTERVALO

ATO DOIS

ATO DOIS CENA UM

SONHO, PRIVET DRIVE, ARMÁRIO DEBAIXO DAS ESCADAS

TIA PETUNIA

Harry. Harry. Os tachos não estão limpos. ESTES TACHOS ESTÃO UMA VERGONHA! HARRY POTTER. Acorda.

O JOVEM HARRY *acorda e vê a* TIA PETUNIA *curvada sobre ele, ameaçadora.*

JOVEM HARRY

Tia Petunia. Que horas são?

TIA PETUNIA

As suficientes. Sabes que, quando concordámos em receber-te, tínhamos esperança de conseguir melhorar-te, de te desenvolver, de fazer de ti um ser humano como deve ser. Portanto, acho que só nós é que somos responsáveis por aquilo em que te tornaste... uma completa desilusão.

JOVEM HARRY

Eu tento...

TIA PETUNIA

Mas tentar não é ser bem-sucedido, pois não? Os vidros têm manchas de gordura. Os tachos estão cheios de riscos. Agora, toca a levantar e a ir para a cozinha e começar a esfregar.

Ele levanta-se. No fundo das calças, vê-se uma mancha molhada.

Oh, não, oh, não... O que foi? Fizeste chichi na cama outra vez.

Puxa as cobertas para trás.

Isto é completamente inaceitável.

JOVEM HARRY
Desculpe... acho que tive um pesadelo.

TIA PETUNIA
Que criança mais nojenta. Só os animais é que fazem chichi assim, os animais e os meninos nojentos.

JOVEM HARRY
Era sobre a mãe e o pai. Acho que vi... acho que os vi... morrer.

TIA PETUNIA
E por que razão teria eu qualquer interesse nisso?

JOVEM HARRY
Havia um homem a gritar Adkava Ad-qualquer coisa Acabra... Ad... e o barulho de uma cobra a silvar. E ouvi a mãe a gritar.

A TIA PETUNIA *leva um momento a recompor-se.*

TIA PETUNIA
Se estivesses realmente a reviver a morte deles, o que ouvirias seria apenas um guinchar de travões e um embate horrível. Os teus pais morreram num acidente de automóvel. Sabes bem. Acho que a tua mãe nem teve tempo para gritar. Que o Senhor te proteja de mais pormenores. Agora tira esses lençóis, vai para a cozinha e começa a esfregar. É a última vez que te digo.

Sai com estrondo.

E o JOVEM HARRY *fica a sós com os lençóis na mão.*

E a cena transforma-se, e elevam-se árvores à medida que o sonho se transmuta em algo completamente diferente.

De súbito, aparece ALBUS *e fica a olhar para o* JOVEM HARRY.

E de seguida, do fundo da sala, sussurros em serpentês em redor de todos.

Está a chegar. Ele está a chegar.

Palavras proferidas com uma voz inconfundível. A voz de VOLDEMORT...

Haaarry Potttter...

ATO DOIS CENA DOIS

CASA DE HARRY E GINNY POTTER, ESCADAS

HARRY *acorda na escuridão, ofegante. O seu cansaço é palpável, o medo avassalador.*

HARRY
  Lumos.

  GINNY *entra, surpreendida pela luz.*

GINNY
  Tudo bem...?

HARRY
  Estava a dormir.

GINNY
  Pois estavas.

HARRY
  Tu não estavas. Alguma notícia? Corujas ou...?

GINNY
  Nada.

HARRY
  Estava a sonhar... Estava debaixo das escadas e depois... ouvi-o... o Voldemort... tão distintamente.

GINNY

O Voldemort?

HARRY

E depois vi... o Albus. De vermelho... estava com as vestes de Durmstrang.

GINNY

Com as vestes de Durmstrang?

HARRY *reflete*.

HARRY

Ginny, acho que sei onde ele está...

ATO DOIS CENA TRÊS

HOGWARTS, GABINETE DA DIRETORA

HARRY e GINNY *estão no gabinete da* PROFESSORA McGONAGALL.

PROFESSORA McGONAGALL
E não sabemos em que local exato da Floresta Proibida?

HARRY
Não tenho um sonho deste tipo há anos. Mas o Albus estava lá. Tenho a certeza.

GINNY
Precisamos de começar a busca o mais rápido possível.

PROFESSORA McGONAGALL
Posso dar-vos o Professor Longbottom, os seus conhecimentos sobre plantas podem ser-vos úteis... e...

De súbito, ouve-se um ruído surdo vindo da chaminé. A PROFESSORA McGONAGALL *mira-a com preocupação. Nesse momento, sai de lá* HERMIONE *aos trambolhões.*

HERMIONE
É verdade? Posso ajudar?

PROFESSORA McGONAGALL
Senhora Ministra, uma visita bastante inesperada...

GINNY

A culpa será minha provavelmente... Convenci-os a fazerem uma edição especial d'*O Profeta Diário*. A pedir voluntários.

PROFESSORA McGONAGALL

Muito bem. Muito sensato. Segundo espero... haverá uns quantos.

RON entra de rompante. Coberto de fuligem. Com um guardanapo sujo de molho ao pescoço.

RON

Perdi alguma coisa? Não consegui descobrir para que Floo viajar. Dei comigo na cozinha. (HERMIONE *olha-o com severidade enquanto ele tira o guardanapo.*) O que foi?

Subitamente mais um rumor na chaminé, e DRACO desce com violência, rodeado de cascatas de fuligem e de pó. Todos o miram, surpreendidos. Ergue-se e sacode a fuligem.

DRACO

Desculpe lá pelo soalho, Minerva.

PROFESSORA McGONAGALL

Ouso dizer que a culpa é minha por ter uma lareira.

HARRY

Que surpresa ver-te, Draco. Pensava que não acreditavas nos meus sonhos.

DRACO

E não acredito, mas confio na tua sorte. O Harry Potter está sempre no centro da ação. E eu preciso do meu filho comigo, de volta, são e salvo.

GINNY

Então, para a Floresta Proibida, vamos encontrá-los.

ATO DOIS CENA QUATRO

ORLA DA FLORESTA PROIBIDA

ALBUS *e* DELPHI *enfrentam-se, empunhando as varinhas.*

ALBUS
Expelliarmus!

> *A varinha de* DELPHI *voa pelo ar.*

DELPHI
Estás a apanhar o jeito. És bom nisto.

> *Recupera a sua varinha. Diz em voz queque.*

És um jovem positivamente desarmante.

ALBUS
Expelliarmus!

> *A varinha dela volta a saltar-lhe das mãos.*

DELPHI
E já temos vencedor.

> *Trocam um dá cá mais cinco.*

ALBUS
Nunca fui bom em feitiços.

SCORPIUS *aparece no fundo de cena. Observa o amigo a falar com uma rapariga e uma parte dele gosta mas outra não.*

DELPHI

Eu era péssima e depois alguma coisa fez clique. E também te vai acontecer a ti. Não que eu seja uma superfeiticeira ou coisa assim, mas acho que estás a ficar um bom feiticeiro, Albus Potter.

ALBUS

Então, devias ficar por cá... ensinar-me mais coisas...

DELPHI

É claro que vou ficar, somos amigos, não somos?

ALBUS

Sim. Sim. Somos mesmo amigos. A sério.

DELPHI

Ótimo. Excelso!

ALBUS

O que é excelso?

SCORPIUS *avança com ar decidido.*

ALBUS

Consegui fazer o feitiço. Quero dizer, é bastante básico, mas eu estava... bem, consegui.

SCORPIUS (*muito entusiasmado, tentando alinhar*)

E eu consegui descobrir uma forma de entrarmos na escola. Escutem, temos mesmo a certeza de que isto vai resultar?

DELPHI

Sim!

ALBUS

É um plano ótimo. O segredo para que o Cedric não morra é impedi-lo de ganhar o Torneio dos Três Feiticeiros. Se ele não ganhar, não pode ser morto.

SCORPIUS

Sei disso, mas...

ALBUS

Portanto, só precisamos de lhe estragar completamente as hipóteses na primeira tarefa. A primeira tarefa é tirar um ovo dourado a um dragão... Como é que o Cedric distraiu o dragão...?

DELPHI *põe a mão no ar.* ALBUS *sorri e aponta para ela. Aqueles dois estão a dar-se mesmo bem.*

Diggory.

DELPHI

... transfigurando uma pedra num cão.

ALBUS

Bem, com um pequeno *Expelliarmus* não vai ser capaz de o fazer.

SCORPIUS *não está a gostar nada da atuação daqueles dois.*

SCORPIUS

OK, duas questões, primeira, temos a certeza de que o dragão não o mata?

DELPHI

Ele tem sempre duas questões, não tem? É claro que não mata. Estamos em Hogwarts, não vão deixar que aconteça mal nenhum aos campeões.

SCORPIUS

OK, segunda questão, e muito mais importante, vamos recuar no tempo sem sabermos se depois podemos regressar. O que é muito empolgante. Talvez devêssemos só... experimentar recuar primeiro digamos uma hora, e depois...

DELPHI

Desculpa, Scorpius, não temos tempo a perder. Estar aqui à espera, tão próximo da escola, já é demasiado perigoso. Tenho a certeza de que andam à vossa procura e...

ALBUS

Ela tem razão.

DELPHI

Bom, vocês vão ter de usar estes mantos...

Segura dois grandes sacos de papel. Os rapazes tiram de lá os mantos.

ALBUS

Mas estes mantos são de Durmstrang.

DELPHI

Foi ideia do meu tio. Se usarem mantos de Hogwarts, as pessoas vão achar que vos deviam conhecer. Mas há duas outras escolas a competir no Torneio dos Três Feiticeiros e, se usarem mantos de Durmstrang, bem... conseguem passar despercebidos, não é?

ALBUS

Bem pensado! Espera lá, onde está o teu manto?

DELPHI

Albus, fico lisonjeada, mas acho que não posso fingir que sou uma aluna, não é? Vou manter-me em segundo plano e finjo ser uma... oh, talvez possa fingir que sou uma guarda-dora de dragões. De qualquer modo, vocês é que vão fazer os feitiços todos.

SCORPIUS *olha para ela e depois para* ALBUS.

SCORPIUS

Tu não devias vir.

121

DELPHI

O quê?

SCORPIUS

Tens razão, não precisamos de ti para o feitiço. E se não podes usar os mantos dos alunos... és um risco demasiado grande. Desculpa, Delphi, não devias vir.

DELPHI

Mas eu tenho de ir... ele é meu primo. Albus?

ALBUS

Acho que ele tem razão, desculpa.

DELPHI

O quê?

ALBUS

Nós não vamos fazer asneira.

DELPHI

Mas sem mim... vocês não serão capazes de fazer funcionar o Vira-Tempo.

SCORPIUS

Tu ensinaste-nos a usá-lo.

DELPHI *está verdadeiramente aborrecida.*

DELPHI

Não, não vos deixo fazer isto...

ALBUS

Disseste ao teu tio para confiar em nós. Agora é a tua vez. Já estamos perto da escola. Devíamos deixar-te aqui.

DELPHI *olha para ambos e inspira fundo. Faz um gesto de cabeça para si própria e sorri.*

DELPHI

Então, vão lá. Mas não se esqueçam... hoje têm uma oportunidade que é dada a poucos. Hoje podem mudar a história, mudar o próprio tempo. Mas, mais que isso tudo, hoje têm a oportunidade de devolver o filho a um velho.

Sorri. Olha para ALBUS. *Curva-se e beija-o suavemente em ambas as faces.*
Afasta-se e entra na floresta. ALBUS *fica a olhar para ela.*

SCORPIUS
A mim não me beijou, reparaste? (*Olha para o amigo.*) Estás bem, Albus? Pareces um pouco pálido. E corado. Pálido e corado ao mesmo tempo.

ALBUS
Vamos a isto.

ATO DOIS CENA CINCO

A FLORESTA PROIBIDA

A floresta parece ficar maior, mais densa e, entre as árvores, há pessoas à procura, em busca dos feiticeiros desaparecidos. Mas as pessoas vão desaparecendo lentamente até que HARRY *fica sozinho.*

Ouve qualquer coisa. Vira-se para a esquerda.

HARRY

Albus? Scorpius? Albus?

E então ouve o som de cascos. Fica espantado. Olha em seu redor para ver de onde vem o som. De súbito, BANE *avança para a luz. É um centauro magnífico.*

BANE

Harry Potter.

HARRY

Ótimo, ainda me reconheces, Bane.

BANE

Estás mais velho.

HARRY

Pois estou.

BANE

Mas não estás mais sensato, pois invadiste o nosso território.

HARRY

Sempre respeitei os centauros. Não somos inimigos. Vocês bateram-se valentemente na Batalha de Hogwarts. E eu lutei a teu lado.

BANE

Fiz a minha parte. Mas em nome da minha manada e da nossa honra. Não foi por ti. E, depois da batalha, a floresta passou a ser considerada território dos centauros. E se estás no nosso território sem autorização, então és nosso inimigo.

HARRY

O meu filho desapareceu, Bane. Preciso de ajuda para o encontrar.

BANE

E ele está aqui? Na nossa floresta?

HARRY

Sim.

BANE

Então é tão estúpido quanto tu.

HARRY

Podes ajudar-me, Bane?

Faz-se uma pausa. BANE *olha para* HARRY *com arrogância.*

BANE

Só te posso dizer aquilo que sei... mas digo-to não para teu benefício mas para benefício da minha manada. Os centauros não precisam de outra guerra.

HARRY

Nós também não. O que é que sabes?

BANE

Vi o teu filho, Harry Potter. Vi-o no movimento das estrelas.

HARRY

Viste-o nas estrelas?

BANE

Não sei dizer-te onde está. Não sei dizer-te como o vais encontrar.

HARRY

Mas viste alguma coisa? Adivinhaste alguma coisa?

BANE

Há uma nuvem negra em volta do teu filho, uma nuvem negra e perigosa.

HARRY

Em volta do Albus?

BANE

Uma nuvem negra que nos pode pôr a todos em perigo. Vais voltar a encontrar o teu filho, Harry Potter. Mas podes perdê-lo para sempre.

Solta um som parecido com um relincho e afasta-se a toda a brida, deixando para trás um HARRY *desorientado.*
HARRY *recomeça a procurar, agora ainda com mais fervor.*

HARRY

Albus! Albus!

ATO DOIS CENA SEIS

ORLA DA FLORESTA PROIBIDA

SCORPIUS *e* ALBUS *descrevem uma curva e dão com uma abertura nas árvores...*
Uma abertura através da qual se avista... uma luz gloriosa...

SCORPIUS
E ali está...

ALBUS
Hogwarts. Nunca a tinha visto desta perspetiva.

SCORPIUS
E continuamos a sentir um aperto, não é? Quando a vemos?

E, revelando-se por entre as árvores, está HOGWARTS, *um aglomerado de edifícios proeminentes e torres.*

A partir do momento em que ouvi falar da escola fiquei desesperado para ir. Quero dizer, o meu pai não gostou lá muito, mas mesmo a forma como a descrevia... A partir dos dez anos, ia ler *O Profeta Diário* logo de manhã, certo de que lhe acontecera alguma desgraça, certo de que não chegaria a ir.

ALBUS
E depois chegaste lá e afinal acabou por se revelar horrível.

SCORPIUS

Para mim não.

ALBUS *olha para o amigo, chocado.*

Tudo o que sempre quis foi ir para Hogwarts e arranjar um amigo com quem fazer asneiras. Tal como o Harry Potter. E arranjei o filho dele. Mas que sorte tão louca.

ALBUS

Mas eu não sou nada como o meu pai.

SCORPIUS

És melhor. És o meu melhor amigo, Albus. E isto é a maior loucura de todas. O que é ótimo, mais do que ótimo, só que... tenho de o dizer... não me importo de admitir... estou com um bocadinho... só um bocadinho de medo.

ALBUS *olha para* SCORPIUS *e sorri.*

ALBUS

Tu também és o meu melhor amigo. E não te preocupes, tenho uma fezada em relação a isto.

Ouvimos a voz de RON *em off. É óbvio que está nas proximidades.*

RON

Albus! Albus!

ALBUS *vira-se para o som, assustado.*

ALBUS

Mas temos de ir... já.

ALBUS *tira o Vira-Tempo a* SCORPIUS, *faz pressão sobre ele e o Vira-Tempo começa a vibrar e depois explode numa tempestade de movimento.*

E, ao mesmo tempo, a cena começa a transformar-se. Os dois rapazes olham em volta.
E vê-se uma enorme explosão de luz. Um ruído estrondoso.
E o tempo para. E depois vira, pensa um pouco, e começa a rolar para trás, devagar ao princípio...
E depois acelera.

ATO DOIS CENA SETE

TORNEIO DOS TRÊS FEITICEIROS,
ORLA DA FLORESTA PROIBIDA, 1994

De súbito, o ruído é como um tumulto, enquanto ALBUS *e* SCORPIUS
são engolidos por uma multidão.

*E, de repente, «o maior apresentador do mundo» (nas palavras
dele, não nas nossas) surge em cena, usando o Sonorus para lhe
amplificar a voz e... bem... está a divertir-se ao máximo.*

LUDO BAGMAN
Minhas senhoras e meus senhores, meninos e meninas,
eis o maior... o fabuloso... o único TORNEIO DOS TRÊS
FEITICEIROS.

Ouvem-se vivas ruidosos.

Se sois de Hogwarts, dai-me um viva.

Ouvem-se vivas ruidosos.

Se sois de Durmstrang, dai-me um viva.

Ouvem-se vivas ruidosos.

E SE SOIS DE BEAUXBATONS DAI-ME UM VIVA.

Ouvem-se vivas um pouco frouxos.

As francesas mostram-se ligeiramente menos entusiásticas.

SCORPIUS (*a sorrir*)
Resultou! Aquele é o Ludo Bagman.

LUDO BAGMAN
E ei-los ali! Senhoras e senhores, meninas e meninos... apresento-vos a razão da nossa presença aqui... OS CAMPEÕES. A representar Durmstrang, que sobrancelhas, que porte, que rapaz, não há nada que ele não tente sobre uma vassoura, eis Viktor Krazy[2] Krum.

SCORPIUS E ALBUS (*que já assumiram o papel de alunos de Durmstrang*)
Força, Krazy Krum. Força, Krazy Krum.

LUDO BAGMAN
Da Academia de Beauxbatons, *zut alors*[3], é Fleur Delacour!

Ouvem-se aplausos educados.

E de Hogwarts, não um mas dois alunos, um que nos faz tremer das pernas, eis Cedric Delicious[4] Diggory.

A multidão enlouquece.

E depois o outro... conhecem-no como o Rapaz Que Sobreviveu, eu conheço-o como o rapaz que não deixa de nos surpreender...

ALBUS
É o meu pai.

LUDO BAGMAN
Sim, eis Harry Plucky[5] Potter.

---

[2] Louco. (*NT*)
[3] Em francês no original. Caramba. (*NT*)
[4] Delicioso. (*NT*)
[5] Valente. (*NT*)

Ouvem-se vivas, em especial de uma rapariga com ar nervoso na beira da multidão. É a JOVEM HERMIONE *(representada pela mesma atriz que representa* ROSE*). Nota-se que os vivas para* HARRY *foram ligeiramente menos que para* CEDRIC.

E agora... silêncio, por favor. A primeira tarefa. Ir buscar um ovo dourado. De um ninho de... senhoras e senhores, meninas e meninos, sim... de DRAGÕES. E a supervisionar os dragões... CHARLIE WEASLEY.

Ouvem-se mais vivas.

JOVEM HERMIONE
Se te vais encostar tanto, preferia que não me mandasses com o teu bafo.

SCORPIUS
Rose? Que estás aqui a fazer?

JOVEM HERMIONE
Quem é a Rose? O que é que aconteceu ao teu sotaque?

ALBUS *(com um sotaque grosseiro)*
Desculpa, Hermione. Ele confundiu-te com outra pessoa.

JOVEM HERMIONE
Como é que sabes o meu nome?

LUDO BAGMAN
E não há tempo a perder, que venha o nosso primeiro campeão. Enfrenta um Sueco de Focinho-Curto... eis CEDRIC DIGGORY!

Um urro de dragão distrai a JOVEM HERMIONE *e* ALBUS *apronta a varinha.*

E Cedric Diggory entrou no palco. E parece pronto. Assustado mas pronto. Esquiva-se para um lado. Esquiva-se para o outro. As raparigas desmaiam quando ele se baixa, a proteger-se. Gritam em uníssono: «Não magoe o nosso Diggory, Mr. Dragon.»

SCORPIUS *parece preocupado.*

SCORPIUS

Albus, passa-se alguma coisa. O Vira-Tempo está a tremer.

Ouve-se um tiquetaque, incessante e perigoso. Vem do Vira-
-Tempo.

LUDO BAGMAN

E o Cedric desvia-se para a esquerda, mergulha para a direita... empunha a varinha... que esconderá na manga este belo jovem valente?

ALBUS (*apontando a varinha*)
Expelliarmus!

A varinha de CEDRIC *é convocada para a mão de* ALBUS.

LUDO BAGMAN

... mas não, que se passa? Será Magia Negra ou outra coisa completamente diferente... Cedric Diggory foi desarmado...

SCORPIUS

Albus, acho que o Vira-Tempo... há qualquer coisa de errado...

O tiquetaque do Vira-Tempo ouve-se ainda mais alto.

LUDO BAGMAN

Está tudo a correr mal ao Diggors. Isto pode ser o fim da tarefa para ele. O fim do torneio.

SCORPIUS *agarra* ALBUS.
O tiquetaque vai aumentando e há um clarão.
E o tempo volta ao presente, com ALBUS *a berrar de dor.*

SCORPIUS

Albus! Ficaste magoado? Albus, estás...

ALBUS

O que é que aconteceu?

SCORPIUS

Deve haver um limite... o Vira-Tempo deve ter um limite de *tempo* qualquer...

ALBUS

Achas que conseguimos? Achas que mudámos alguma coisa?

De súbito a cena é invadida de todos os lados por HARRY, RON *(que agora usa risca ao lado e veste roupa muito mais formal)*, GINNY *e* DRACO. SCORPIUS *olha para eles... e esconde o Vira-Tempo no bolso.* ALBUS *olha para eles sem expressão, ainda tem muitas dores.*

RON

Eu disse-te. Eu disse-te que os vi.

SCORPIUS

Acho que vamos já ficar a saber.

ALBUS

Olá, pai. Passa-se alguma coisa?

HARRY *olha para o filho sem querer acreditar.*

HARRY

Sim, bem o podes dizer.

ALBUS *cai no chão.* HARRY *e* GINNY *correm a ajudá-lo.*

ATO DOIS CENA OITO

HOGWARTS, ENFERMARIA

ALBUS *jaz adormecido numa cama da enfermaria.* HARRY, *pertur-bado, senta-se a seu lado. Por cima, vê-se o retrato de um homem de ar bondoso e preocupado.* HARRY *esfrega os olhos, ergue-se e caminha pelo quarto, esticando as costas.*

E nesse momento pousa o olhar no retrato. Que parece admirado por ter sido descoberto. HARRY *parece igualmente surpreendido.*

HARRY
Professor Dumbledore.

DUMBLEDORE
Boa noite, Harry.

HARRY
Tenho sentido a sua falta. Recentemente, sempre que vou ao gabinete da Diretora, a sua moldura está vazia.

DUMBLEDORE
Ah, pois, de vez em quando gosto de dar um saltinho aos meus outros retratos. *(Olha para* ALBUS.*)* Vai ficar bem, ele?

HARRY
Está inconsciente há vinte e quatro horas, em especial para Madame Pomfrey lhe poder endireitar o braço. Ela

diz que foi uma coisa estranhíssima... como se tivesse sido fraturado há vinte anos e deixado sarar na «mais contrária» das posições. Ela diz que vai ficar bom.

DUMBLEDORE

Imagino que seja difícil presenciar a dor de um filho.

HARRY *ergue o olhar para* DUMBLEDORE, *baixando-o em seguida para* ALBUS.

HARRY

Nunca lhe perguntei o que achava de eu lhe ter dado o seu nome, pois não?

DUMBLEDORE

Francamente, Harry, pareceu-me um peso demasiado grande para a pobre criança.

HARRY

Preciso da sua ajuda. Preciso do seu conselho. O Bane diz que o Albus corre perigo. Como é que protejo o meu filho, Dumbledore?

DUMBLEDORE

E é logo a mim que vens perguntar como hás de proteger um rapaz em tão grave perigo? Não podemos proteger os jovens do mal. O sofrimento é certo e chegará a seu tempo.

HARRY

Então terei de assistir e não fazer nada?

DUMBLEDORE

Não, tens de ensiná-lo a enfrentar a vida.

HARRY

Como? Ele não me dá ouvidos.

DUMBLEDORE

Talvez esteja à espera de que o compreendas com clareza.

HARRY *franze o sobrolho e tenta digerir aquilo.*

(*Com sensibilidade.*) É a maldição e a bênção dos retratos... ouvir coisas. Na escola, no Ministério, ouço as pessoas falar...

HARRY

E quais são os mexericos sobre mim e o meu filho?

DUMBLEDORE

Não são mexericos. É preocupação. Que brigam os dois. Que está difícil. Que está zangado contigo. Tenho a impressão de que talvez estejas cego pelo amor que sentes por ele.

HARRY

Cego?

DUMBLEDORE

Tens de o ver como ele é, Harry. Tens de descobrir o que está a magoá-lo.

HARRY

Não o tenho visto como ele é? O que está a magoar o meu filho? (*Pensa.*) Ou quem é que está a magoar o meu filho?

ALBUS (*murmura, adormecido*)

Pai...

HARRY

Esta nuvem negra, é alguém, não é? Não é uma coisa?

DUMBLEDORE

Ah, na verdade, que importa a minha opinião neste momento? Sou apenas tinta e memória, Harry, tinta e memória. E nunca tive filhos.

HARRY

Mas preciso dos seus conselhos.

ALBUS

Pai?

HARRY *olha para* ALBUS *e de seguida de novo para* DUMBLEDORE. *Mas* DUMBLEDORE *desapareceu.*

HARRY

Não, agora para onde é que ele foi?

ALBUS

Estamos na... enfermaria?

HARRY *volta de novo a sua atenção para* ALBUS.

HARRY *(atarantado)*

Sim. E tu... vais ficar bom. A Madame Pomfrey não tinha a certeza do que prescrever para recuperares e disse que provavelmente deverias comer muito... chocolate. Aliás, importas-te que coma um pedacinho? Tenho uma coisa para te dizer e acho que não vais gostar.

ALBUS *olha para o pai, o que terá ele para lhe dizer? Decide não ripostar.*

ALBUS

OK. Acho que não.

HARRY *tira chocolate. Come um pedaço enorme.* ALBUS *mira o pai, confuso.*

Melhor?

HARRY

Muito melhor.

Estende o chocolate ao filho. ALBUS *tira um pedacinho. Pai e filho mastigam.*

O braço, como é que está?

ALBUS *dobra o braço.*

ALBUS

Ótimo.

HARRY *(suavemente)*

Onde foste, Albus? Não consigo descrever como foi para nós... a tua mãe estava raladíssima...

ALBUS *ergue o olhar, é um bom mentiroso.*

ALBUS

Decidimos que não queríamos voltar para a escola. Pensámos que podíamos começar de novo no mundo dos Muggles e descobrimos que estávamos enganados. Regressávamos para Hogwarts quando nos encontraram.

HARRY

Com vestes dos Durmstrang?

ALBUS

As vestes foram... tudo aquilo, eu e o Scorpius, não pensámos bem.

HARRY

E por que motivo... por que motivo é que fugiste? Por minha causa? Por causa do que eu disse?

ALBUS

Não sei. Hogwarts não é um sítio assim tão agradável quando não estamos integrados.

HARRY

E o Scorpius... encorajou-te a... ir?

ALBUS

O Scorpius? Não.

HARRY *olha para* ALBUS, *quase tentando ver uma aura em redor dele, meditando profundamente.*

HARRY

Preciso que te afastes do Scorpius Malfoy.

ALBUS

O quê? Do Scorpius?

HARRY

Nem sei como é que vocês se tornaram amigos, mas tornaram-se... e agora... preciso que tu...

ALBUS

O meu melhor amigo? O meu único amigo?

HARRY

Ele é perigoso.

ALBUS

O Scorpius? Perigoso? Conhece-o? Pai, francamente, se pensa que ele é filho do Voldemort...

HARRY

Não sei se é, sei apenas que tens de te afastar dele. O Bane disse-me...

ALBUS

Quem é o Bane?

HARRY

Um centauro com grande capacidade de adivinhação. Disse que há uma nuvem negra à tua volta e que...

ALBUS

Uma nuvem negra?

HARRY

E tenho bons motivos para crer que a Magia Negra está a ressurgir e preciso de manter-te a salvo dela. A salvo dele. A salvo do Scorpius.

ALBUS *hesita por um instante, e então o rosto endurece-lhe.*

ALBUS

E se eu não fizer isso? Se não me afastar do Scorpius?

HARRY *olha o filho, pensando com rapidez.*

HARRY

Existe um mapa. Costumava ser usado para quem andava a tramar alguma. Agora vamos utilizá-lo para te manter debaixo de olho... permanentemente. A Professora McGo-nagall vai observar todos os teus movimentos. Em qualquer momento que sejam vistos juntos, aí vai ela, qualquer tentativa de sair de Hogwarts, aí vai ela. Espero que vás às aulas, nenhuma das quais será partilhada com o Scorpius a partir de agora; e entre as aulas vais ficar na sala comum dos Gryffindor!

ALBUS

Não pode obrigar-me a ir para os Gryffindor! Eu sou um Slytherin!

HARRY

Deixa-te de brincadeiras, Albus, sabes muito bem a que equipa pertences. Se ela te encontrar com o Scorpius... faço-te um feitiço que me permitirá ver e ouvir todos os teus movimentos, todas as tuas conversas. Entretanto, o meu departamento iniciará investigações quanto à verda-deira linhagem dele.

ALBUS (*começando a chorar*)

Mas, pai, não pode... isso não é...

HARRY

Durante muito tempo, pensei que não era bom pai porque tu não gostavas de mim. Só agora é que me apercebo de que não preciso que gostes de mim, preciso que me obedeças porque sou teu pai e tenho mais experiência. Desculpa, Albus. Tem de ser assim.

ATO DOIS CENA NOVE

HOGWARTS, ESCADAS

ALBUS *persegue* HARRY *pela cena.*

ALBUS
E se eu fugir? Eu fujo.

HARRY
Albus, volta para a cama.

ALBUS
Eu fujo outra vez.

HARRY
Não. Não foges.

ALBUS
Fujo pois, e desta vez faço com que o Ron não nos encontre.

RON
Estarei a ouvir o meu nome?

> RON *entra por uma escada, a risca ao lado agora bem mais demarcada, as vestes um tudo-nada curtas, a roupa espetacularmente formal.*

ALBUS
Tio Ron! Graças a Dumbledore! Nunca precisámos tanto de uma das suas brincadeiras como agora...

> RON *franze o sobrolho, confuso.*

RON

Brincadeiras? Eu não sei brincadeiras.

ALBUS

Claro que sabe. O tio tem uma loja de brincadeiras mágicas.

RON *(agora extremamente confuso)*

Uma loja de brincadeiras mágicas? Ora ora. De qualquer das maneiras, ainda bem que te encontro... Eu ia trazer uns doces... para, hã, uma espécie de... que melhores depressa, mas hã... na verdade, a Padma — que pensa muito mais nas coisas, mais a sério — achou que seria mais simpático receberes algo útil para a escola. Portanto, arranjámos-te um... conjunto de penas. Sim. Sim. Sim. Olha lá para elas. Do melhor que há.

ALBUS

Quem é a Padma?

HARRY franze o sobrolho para ALBUS.

HARRY

A tua tia.

ALBUS

Eu tenho uma tia Padma?

RON

(Para HARRY.) Foi um Encantamento *Confundus* que lhe subiu à cabeça? *(Para ALBUS.)* A minha mulher, Padma. Tu lembras--te. Fala connosco com a cara um tudo-nada próxima de mais e cheira um bocadinho a menta. *(Inclina-se.)* A Padma, a mãe do Panju! *(Para HARRY.)* É por causa dele que aqui estou, claro está. Do Panju. Está outra vez metido em sarilhos. Eu queria mandar uma coruja mas a Padma insistiu que viesse pessoalmente. Não sei porquê. Ele só faz troça de mim.

ALBUS

Mas o tio... é casado com a Hermione.

Pausa curta. RON não percebe nada.

RON

Com a Hermione? Não. Nãããooo. Pelas barbas de Merlim.

HARRY

O Albus também se esqueceu de que foi selecionado para os Gryffindor.

ALBUS

Mas como é que entrei nos Gryffindor?

RON

Persuadiste o Chapéu Selecionador, não te lembras? O Panju apostou contigo que não conseguias entrar nos Gryffindor mesmo que a tua vida dependesse disso, e tu escolheste os Gryffindor só para o aborreceres. Não te censuro, *(secamente)* por vezes todos nós gostaríamos de lhe apagar aquele sorriso da cara, não era? *(Aterrorizado.)* Por favor, não digas à Padma que eu disse isto.

ALBUS

Quem é o Panju?

RON *e* **HARRY** *miram* **ALBUS.**

RON

Que raio, não pareces mesmo nada tu, pois não? De qualquer maneira, o melhor é ir-me embora antes que me mandem uma coruja.

Sai a tropeçar, uma sombra do homem que era.

ALBUS

Mas isto não faz... sentido.

HARRY

Albus, o que quer que estejas a fingir, não convence ninguém. Não vou mudar de opinião.

ALBUS

O pai tem duas hipóteses, ou me leva para...

HARRY

Não, tu é que tens de escolher, Albus. Ou fazes como eu digo ou ficas metido em sarilhos maiores, muito maiores, estás a perceber?

SCORPIUS

Albus? Estás bem. É fantástico.

HARRY

Está completamente curado. E agora temos de ir.

ALBUS *ergue o olhar para* SCORPIUS *e fica destroçado. Continua a caminhar.*

SCORPIUS

Estás zangado comigo? O que é que se passa?

ALBUS *detém-se e vira-se para* SCORPIUS.

ALBUS

Deu resultado? Deu algum resultado?

SCORPIUS

Não... mas, Albus...

HARRY

Albus. Sejam lá quais forem os disparates que estás a dizer, tens de parar imediatamente. É a última vez que te aviso.

ALBUS *olha, dividido entre o pai e o amigo.*

ALBUS

Não posso, OK?

SCORPIUS

Não podes o quê?

ALBUS

É só que... ficamos mais bem servidos um sem o outro, OK?

SCORPIUS *é deixado só, olhando o amigo que se afasta. Destroçado.*

ATO DOIS CENA DEZ

HOGWARTS, GABINETE DA DIRETORA

A PROFESSORA McGONAGALL *está infelicíssima*, HARRY *está cheio de determinação*, GINNY *não tem a certeza do que deveria sentir.*

PROFESSORA McGONAGALL
Não me parece que a intenção do Mapa do Salteador fosse esta.

HARRY
Se os vir juntos, chegue até eles o mais rápido possível e mantenha-os separados.

PROFESSORA McGONAGALL
Harry, tens a certeza de que tomaste a decisão certa? Porque longe de mim duvidar da sabedoria dos centauros, mas o Bane é um centauro muito agressivo e... está ao seu alcance mudar as constelações para os seus próprios fins.

HARRY
Confio no Bane. O Albus tem de permanecer afastado do Scorpius. Para o seu bem e para o bem de outros.

GINNY
Acho que o que o Harry quer dizer é que...

HARRY *(com caráter definitivo)*
A Professora sabe o que eu quero dizer.

GINNY *olha para* HARRY, *surpreendida pela forma como ele falou com ela.*

PROFESSORA McGONAGALL
O Albus foi examinado pelos melhores feiticeiros e feiticeiras do país e ninguém consegue encontrar ou sentir qualquer bruxedo ou maldição.

HARRY
E o Dumbledore... o Dumbledore disse...

PROFESSORA McGONAGALL
O quê?

HARRY
O retrato. Estivemos a falar. Disse algumas coisas que fizeram todo o sentido...

PROFESSORA McGONAGALL
O Dumbledore morreu, Harry. E já te disse antes que os retratos não representam nem sequer metade daqueles que estão retratados.

HARRY
Ele disse que o amor me cegava.

PROFESSORA McGONAGALL
O retrato de um diretor é uma memória. É apenas um mecanismo de apoio às decisões que tenho de tomar. Contudo, quando ocupei este lugar, avisaram-me para não confundir o retrato com a pessoa. E seria avisado que fizesses o mesmo.

HARRY
Mas ele tinha razão. Agora sei-o.

PROFESSORA McGONAGALL
Harry, tens estado sob uma pressão tremenda, o desaparecimento do Albus, a busca por ele, os receios do que poderia significar a tua cicatriz. Mas acredita no que te digo, estás a cometer um erro...

HARRY

Dantes o Albus não gostava de mim. Pode vir a não gostar de mim mais uma vez. Mas vai ficar em segurança. Com todo o respeito, Minerva, a professora não tem filhos...

GINNY

Harry!

HARRY

... não entende.

PROFESSORA McGONAGALL (*profundamente magoada*)

Esperaria que uma vida dedicada ao ensino quisesse dizer que...

HARRY

Este mapa revelar-lhe-á onde está o meu filho a qualquer momento, espero que o utilize. E se eu souber que não o utiliza, nesse caso, puno esta escola o mais severamente possível, usando todo o poder do Ministério, entendido?

PROFESSORA McGONAGALL (*desconcertada pela invetiva*)

Perfeitamente.

> **GINNY** *olha para* **HARRY**, *sem perceber no que ele se tornou. Ele não olha para trás.*

ATO DOIS CENA ONZE

HOGWARTS, AULA DE DEFESA CONTRA A MAGIA NEGRA

ALBUS *entra na sala de aula, ligeiramente inseguro.*

HERMIONE
Ah, sim. O nosso fugitivo do comboio. Por fim, junta-se-nos.

ALBUS
Hermione?

Parece espantado. HERMIONE *encontra-se à frente da turma.*

HERMIONE
Professora Granger, suponho que seja esse o meu nome,
Potter.

ALBUS
Que está aqui a fazer?

HERMIONE
A dar aulas. Para mal dos meus pecados. Que estás tu aqui
a fazer? A aprender, espero eu.

ALBUS
Mas a senhora é... é... Ministra da Magia.

HERMIONE
Temos andado outra vez a sonhar, não temos, Potter? Hoje
vamos falar do Encantamento *Patronus*.

ALBUS (*espantado*)

É a nossa professora de Defesa contra a Magia Negra?

Risinhos.

HERMIONE

Começo a perder a paciência. Dez pontos a menos para os Gryffindor por estupidez.

POLLY CHAPMAN (*de pé, indignada*)

Não. Não. Ele está a fazer de propósito. Ele odeia os Gryffindor, toda a gente sabe disso.

HERMIONE

Senta-te, Polly Chapman, antes que piores as coisas. (POLLY *suspira e senta-se.*) E sugiro que faças o mesmo, Albus. E acabes com esta charada.

ALBUS

Mas não costuma ser assim tão má.

HERMIONE

E são vinte pontos a menos para os Gryffindor para assegurar ao Albus que sou mesmo má.

YANN FREDERICKS

Se não te sentas imediatamente, Albus...

ALBUS *senta-se.*

ALBUS

Posso só dizer...

HERMIONE

Não, não podes. Está calado, Potter, ou acabas por perder toda a limitada popularidade de que gozas. Agora quem é que me pode dizer o que é um *Patronus*? Não? Ninguém? Vocês são mesmo uma desilusão.

HERMIONE *esboça um sorriso forçado. É realmente muito má.*

ALBUS

Não. Isto é uma estupidez. Onde é que está a Rose? Ela diz-lhe que está a ser ridícula.

HERMIONE

Quem é a Rose? A tua amiga invisível?

ALBUS

A Rose Granger-Weasley! A sua filha! (*Apercebe-se.*) Claro... como não é casada com o Ron, a Rose...

Risinhos.

HERMIONE

Como te atreves!? Cinquenta pontos a menos para os Gryffindor. E ouçam bem, se mais alguém me interrompe de novo, serão cem pontos...

Olha a turma fixamente. Ninguém move um músculo sequer.

Bom. O *Patronus* é um encantamento mágico, uma projeção de todos os nossos sentimentos mais positivos, e toma a forma do animal com que se tem mais afinidade. É uma dádiva de luz. Se conseguirem conjurar um *Patronus*, conseguem proteger-se contra o mundo. O que, em certos casos nossos conhecidos, quanto mais cedo for melhor.

ATO DOIS   CENA DOZE

HOGWARTS, ESCADAS

ALBUS *sobe uma escada, enquanto olha à sua volta.*

Não vê nada. Sai. A escada move-se quase num passo de dança.

SCORPIUS *entra atrás dele. Pensa avistar* ALBUS*, mas percebe que ele não está ali.*

Deixa-se escorregar para o chão enquanto a escada dá uma volta.

Entra MADAME HOOCH *e sobe a escada. No cimo, faz sinal a* SCORPIUS *que se desvie.*

Ele assim faz. E vai-se embora, sendo óbvia a sua abominável solidão.

Entra ALBUS *e sobe uma escada.*

Entra SCORPIUS *e sobe outra.*

As escadas encontram-se. Os dois rapazes olham um para o outro.

Simultaneamente confusos e esperançosos.

E então ALBUS *desvia o olhar e o momento perde-se e, com ele, talvez a própria amizade.*

E agora as escadas afastam-se. Os dois olham um para o outro, um cheio de culpa, o outro cheio de dor, ambos muito infelizes.

ATO DOIS CENA TREZE

CASA DE HARRY E GINNY POTTER, COZINHA

GINNY *e* HARRY *olham-se com desconfiança. Ambos sabem que precisam de conversar.*

HARRY
 Esta é a decisão certa.

GINNY
 Pareces quase convencido.

HARRY
 Disseste-me que fosse honesto com ele, mas na verdade eu precisava era de ser honesto comigo, confiar no que o meu coração me dizia...

GINNY
 Harry, tu tens um grande coração, maior do que a maioria dos feiticeiros, e não acredito que o teu coração te dissesse para fazeres isto.

 Ouvem bater à porta.

Salvos pela porta.

 GINNY *sai.*
 Passado um momento entra DRACO, *consumido pela raiva mas disfarçando bem.*

DRACO

Não posso demorar-me. E não preciso de muito tempo.

HARRY

Em que posso ajudar-te?

DRACO

Não vim para te hostilizar. Mas o meu filho está lavado em lágrimas e eu sou pai dele e, por isso, vim aqui para te perguntar por que motivo queres afastar dois bons amigos.

HARRY

Eu não estou a afastá-los.

DRACO

Mudaste os horários letivos, ameaçaste as duas professoras e o próprio Albus. Porquê?

HARRY *olha para* **DRACO** *cautelosamente e depois vira-se.*

HARRY

Tenho de proteger o meu filho.

DRACO

Do Scorpius?

HARRY

O Bane disse-me que sentiu uma escuridão em volta do meu filho. Perto do meu filho.

DRACO

A que te referes, Potter?

HARRY *vira-se e olha* **DRACO** *de frente.*

HARRY

Tens a certeza... tens a certeza absoluta de que ele é teu, Draco?

Faz-se um silêncio de morte.

DRACO

Retira o que disseste... já.

Mas HARRY *não o faz. E* DRACO *empunha a varinha.*

HARRY

Não queres fazer isso.

DRACO

Quero sim.

HARRY

Não te quero magoar, Draco.

DRACO

Que interessante, porque eu quero mesmo magoar-te.

Os dois enfrentam-se. E depois lançam os feitiços.

DRACO E HARRY

Expelliarmus!

As varinhas repelem-se e separam-se.

DRACO

Incarcerous!

HARRY *esquiva-se a uma explosão da varinha de* DRACO.

HARRY

Tarantallegra!

DRACO *lança-se para fora de alcance.*

HARRY

Tens andado a praticar, Draco.

DRACO

E tu ficaste descuidado, Potter. *Densaugeo!*

HARRY *esquiva-se por pouco.*

HARRY

Rictusempra!

DRACO usa uma cadeira para bloquear a explosão.

DRACO

Flipendo!

HARRY é atirado pelos ares. DRACO ri-se.

Aguenta-te, velhote.

HARRY

Temos a mesma idade, Draco.

DRACO

Eu envelheci melhor.

HARRY

Brachiabindo!

DRACO fica atado com toda a força.

DRACO

Não consegues melhor que isso? Emancipare!

DRACO solta as cordas que o atam.

Levicorpus!

HARRY tem de se desviar.

Mobilicorpus! Oh, isto é divertidíssimo...

DRACO faz com que HARRY salte para cima da mesa e para baixo. E então, quando HARRY rebola, DRACO salta para cima da mesa, apronta a varinha, mas nesse momento HARRY atinge-o com um feitiço...

HARRY

Obscuro!

DRACO *liberta-se da venda assim que a sente.*
Os dois enfrentam-se... HARRY *atira com uma cadeira.*
DRACO *mergulha por baixo dela e detém a cadeira com a*
varinha.

GINNY

Só saí daqui há três minutos!

Olha para o caos em que está a cozinha. Olha para as cadei-
ras suspensas no ar. Manda-as de novo para o chão com a
sua varinha.

(*Num tom muito seco.*) O que é que eu perdi?

ATO DOIS CENA CATORZE

HOGWARTS, ESCADAS

SCORPIUS *desce uma escada com ar infeliz.*
DELPHI entra apressadamente do outro lado.

DELPHI

Bom... tecnicamente eu não devia estar aqui.

SCORPIUS

Delphi?

DELPHI

Na verdade, tecnicamente estou a pôr em perigo toda a nossa operação... o que não é... bem, como sabes, não gosto lá muito de correr riscos. Nunca andei em Hogwarts. A segurança aqui é bastante lassa, não é? E tantos retratos. E corredores. E fantasmas! Acreditas que aquele fantasma esquisito quase sem cabeça me disse onde te podia encontrar?

SCORPIUS

Nunca andaste em Hogwarts?

DELPHI

Em criança estive... adoentada... durante alguns anos. Outras pessoas conseguiram vir, mas eu não.

SCORPIUS

Eras demasiado... doente? Lamento, não sabia.

DELPHI

Não ando para aí a anunciar o facto. Sabes, prefiro não ser vista como um caso trágico.

Isto impressiona SCORPIUS. *Ergue o olhar para dizer algo, mas* DELPHI *esconde-se de repente quando um aluno passa por eles.* SCORPIUS *tenta parecer descontraído até o aluno passar.*

Já se foram?

SCORPIUS

Delphi, talvez seja demasiado perigoso estares aqui...

DELPHI

Bem... alguém tem de fazer alguma coisa.

SCORPIUS

Delphi, aquilo não deu resultado, a viagem no tempo, falhámos.

DELPHI

Eu sei. O Albus enviou-me uma coruja. Os livros de História mudaram mas não o suficiente. O Cedric morreu na mesma. Na verdade, falhar a primeira tarefa só o tornou mais determinado a vencer a segunda.

SCORPIUS

E o Ron e a Hermione ficaram os dois às avessas e ainda não percebi bem porquê.

DELPHI

E é por isso que o Cedric tem de esperar. Ficou tudo muito confuso e tu tens toda a razão em guardar o Vira-Tempo, Scorpius. Mas o que eu queria dizer é que alguém tem de fazer alguma coisa sobre vocês os dois.

SCORPIUS

Oh.

DELPHI

Vocês são amigos íntimos. Em todas as corujas que ele manda sinto a tua ausência. Ele está destroçado.

SCORPIUS

Parece que arranjou um ombro onde chorar. Quantas corujas já te mandou ele?

DELPHI sorri ao de leve.

Desculpa. É... não queria dizer... só que... não compreendo o que se passa. Tentei vê-lo, falar com ele. Mas sempre que tento ele foge.

DELPHI

Sabes, quando tinha a vossa idade nunca tive uma amiga íntima. Queria muito uma. Desesperadamente. Quando era mais nova até inventei uma, mas...

SCORPIUS

Também tive um assim. Chamava-se Flurry. Zangámo-nos por causa das regras corretas dos Berlindes Cuspidores.

DELPHI

O Albus precisa de ti, Scorpius. E isso é maravilhoso.

SCORPIUS

Precisa de mim para fazer o quê?

DELPHI

Aí é que está, em relação às amizades. Tu não sabes de que é que ele precisa. Só sabes que precisa. Vai à procura dele, Scorpius. Vocês os dois... devem estar juntos.

ATO DOIS CENA QUINZE

CASA DE HARRY E GINNY POTTER, COZINHA

HARRY e DRACO *estão sentados, afastados um do outro.* GINNY *encontra-se no meio deles.*

DRACO
Desculpa lá a tua cozinha, Ginny.

GINNY
Oh, não é a minha cozinha. O Harry é que cozinha quase sempre.

DRACO
Eu também não consigo falar com ele. Com o Scorpius. Especialmente desde que... a Astoria se foi. Nem sequer consigo falar sobre como ele ficou afetado com a perda dela. Por mais que tente, não consigo chegar a ele. Tu não consegues falar com o Albus, eu não consigo falar com o Scorpius. É disto que se trata. Não sobre o meu filho pertencer ao mal. Porque, por mais que acredites na palavra de um centauro arrogante, conheces o poder da amizade.

HARRY
Draco, penses tu o que pensares...

DRACO
Sabes, sempre te invejei pelo facto de os teres, o Weasley e a Granger. Eu tinha...

GINNY

O Crabbe e o Goyle.

DRACO

Dois broncos que não distinguiam uma ponta da vassoura da outra. Vocês — vocês os três — brilhavam, sabias? Gostavam uns dos outros. Divertiam-se. Acima de tudo, tinha inveja da vossa amizade.

GINNY

Eu também.

HARRY *olha para* GINNY, *surpreendido.*

HARRY

Tenho de o proteger...

DRACO

O meu pai pensava que me estava a proteger. A maior parte do tempo. Acho que a certa altura temos de fazer uma escolha sobre o homem que queremos ser. E digo-te que, nessa altura, precisamos de um pai ou de um amigo. E, se já aprendemos a odiar o nosso pai e não tivermos amigos... então estamos mesmo sozinhos. E estar sozinho... é tão difícil. Eu estava sozinho. E isso enviou-me para um lugar verdadeiramente negro. Durante muito tempo. O Tom Riddle também era uma criança solitária. Podes não compreender isso, Harry, mas eu compreendo... e acho que a Ginny também.

GINNY

Ele tem razão.

DRACO

O Tom Riddle não se libertou do seu lugar negro. E assim transformou-se em Lorde Voldemort. Talvez a nuvem negra que o Bane viu fosse a solidão do Albus. A sua dor. O seu ódio. Não percas o rapaz. Vais arrepender-te. E ele também. Porque ele precisa de ti e do Scorpius, quer já o saiba quer não.

HARRY *olha para* DRACO. *Pensa.*
Abre a boca para falar. Pensa.

GINNY
Harry, vais buscar o pó de Floo ou vou eu?

HARRY *olha para a mulher.*

ATO DOIS   CENA DEZASSEIS

HOGWARTS, BIBLIOTECA

SCORPIUS *entra na biblioteca. Olha para a esquerda e para a direita. E então vê* ALBUS. *E* ALBUS *vê-o.*

SCORPIUS

Olá.

ALBUS

Scorpius, não posso...

SCORPIUS

Eu sei. Agora estás nos Gryffindor. Agora não me queres ver, mas de qualquer modo estou aqui. A falar contigo.

ALBUS

Bem, não posso falar, por isso...

SCORPIUS

Tens de falar. Achas que podes simplesmente ignorar tudo o que aconteceu? O mundo enlouqueceu, já reparaste?

ALBUS

Eu sei, OK? O Ron está todo esquisito. A Hermione é professora, está tudo errado, mas...

SCORPIUS

E a Rose não existe.

ALBUS

Eu sei. Olha, não compreendo tudo, mas tu não podes estar aqui.

SCORPIUS

Por causa do que nós fizemos, a Rose nem sequer nasceu. Lembras-te de nos contarem sobre o Baile de Natal do Torneio dos Três Feiticeiros? Os quatro campeões do Torneio levaram um par. O teu pai levou a Parvati Patil, o Viktor Krum levou...

ALBUS

A Hermione. E o Ron ficou com ciúmes e portou-se como um parvo.

SCORPIUS

Só que não foi assim. Descobri o livro da Rita Skeeter sobre eles. E é muito diferente. O Ron levou a Hermione ao baile.

ALBUS

O quê?

POLLY CHAPMAN

Chiu!

SCORPIUS *olha para* POLLY *e baixa a voz.*

SCORPIUS

Como amigos. E dançaram como amigos e foi bom e depois ele dançou com a Padma Patil e foi ainda melhor e começaram a namorar e ele mudou um bocado e depois casaram-se e, entretanto, a Hermione tornou-se...

ALBUS

... psicopata.

SCORPIUS

A Hermione era para ir ao baile com o Krum... Sabes porque é que não foi? Porque suspeitou que os dois estranhos rapazes de Durmstrang que encontrou antes da primeira tarefa estavam de alguma maneira envolvidos no desaparecimento da varinha do Cedric. Acreditava que nós, sob as ordens do Viktor, tínhamos feito com que o Cedric perdesse a primeira tarefa...

ALBUS

Uau!

SCORPIUS

E, sem o Krum, o Ron nunca teve ciúmes e esses ciúmes eram superimportantes e, assim, o Ron e a Hermione continuaram muito bons amigos mas nunca se apaixonaram, nunca se casaram... *nunca tiveram a Rose.*

ALBUS

Portanto é por isso que o meu pai está tão... ele também mudou?

SCORPIUS

Tenho quase a certeza de que o teu pai está exatamente na mesma. Diretor do Departamento de Execução da Lei Mágica. Casou com a Ginny. Três filhos.

ALBUS

Então, porque está ele a ser tão...

Uma BIBLIOTECÁRIA *entra ao fundo da sala.*

SCORPIUS

Ouviste o que eu disse, Albus? Isto ultrapassa-te a ti e ao teu pai. A lei do Professor Croaker — o mais longe que uma pessoa pode recuar no tempo sem a possibilidade de causar danos ao viajante ou ao próprio tempo são cinco horas. E nós recuámos anos. O momento mais ínfimo, a alteração mais ínfima tem repercussões. A Rose nunca nasceu por causa do que nós fizemos. A Rose!

BIBLIOTECÁRIA

Chiu!

ALBUS *pensa rapidamente.*

ALBUS

OK, vamos voltar atrás... e pôr tudo bem. Vamos recuperar o Cedric e a Rose.

SCORPIUS

Essa é a resposta errada.

ALBUS

Ainda tens o Vira-Tempo, certo? Ninguém o descobriu?

SCORPIUS *tira-o do bolso.*

SCORPIUS

Sim, mas...

ALBUS *arranca-lho das mãos.*

Não, não... Albus. Não compreendes como as coisas podem ficar muito piores?

SCORPIUS *tenta tirar-lhe o Vira-Tempo,* ALBUS *empurra-o, lutam um com o outro desajeitadamente.*

ALBUS

É preciso corrigir as coisas, Scorpius, ainda é preciso salvar o Cedric. É preciso reaver a Rose. Teremos mais cuidado. Diga o Croaker o que disser, confia em mim, confia em nós. Desta vez fazemos tudo bem.

SCORPIUS

Não, não fazemos. Dá-mo, Albus! Dá-mo cá!

ALBUS

Não posso. Isto é demasiado importante.

SCORPIUS

Sim, é demasiado importante... para nós. Não somos bons nesta coisa. Vamos fazer tudo mal.

ALBUS

Quem é que diz que vamos fazer tudo mal?

SCORPIUS

Digo eu. Porque *é isso que nós fazemos*. Fazemos sempre asneira. Perdemos. Somos uns falhados, uns verdadeiros falhados. Ainda não percebeste isso?

ALBUS *acaba por se impor e prende* SCORPIUS *contra o chão.*

ALBUS

Bem, eu não era nenhum falhado antes de te conhecer.

SCORPIUS

Albus, o que quer que tenhas de provar ao teu pai... não é desta forma...

ALBUS

Não tenho de provar nada ao meu pai. Tenho de salvar o Cedric para salvar a Rose. E talvez sem ti a atrapalhar consiga ter êxito.

SCORPIUS

Sem mim? Oh, pobre Albus Potter... com o seu complexo de inferioridade. Pobre Albus Potter. Que tristeza.

ALBUS

Que é que estás para aí a dizer?

SCORPIUS *(explodindo)*

Põe-te no meu lugar! As pessoas olham para ti porque o teu pai é o famoso Harry Potter, o salvador do mundo mágico. As pessoas olham para mim porque pensam que o meu pai é o Voldemort. O Voldemort!

ALBUS

Nem sequer...

SCORPIUS

Consegues sequer fazer uma pequena ideia do que isso é? Alguma vez sequer tentaste? Não. Porque não consegues ver para além do teu umbigo. Porque não consegues ver para além do estúpido problema com o teu pai. Ele será sempre o Harry Potter, sabes isso, certo? E tu serás sempre o filho dele. E eu sei que é difícil, e os outros miúdos são horríveis mas tens de aprender a sentires-te bem com isso, porque... há coisas piores, OK?

Pausa curta.

Houve uma altura em que eu fiquei entusiasmado, quando percebi que o tempo era diferente, uma altura em que pensei que talvez a minha mãe não tivesse adoecido. Talvez a minha mãe não tivesse morrido. Mas não, afinal tinha. Eu continuo a ser o filho do Voldemort, sem mãe, que mostra compaixão pelo rapaz que nunca retribui nada. Por isso, desculpa ter-te arruinado a vida porque fica a saber... tu não terias hipótese de arruinar a minha... já estava arruinada. E tu não a tornaste melhor. Porque és um amigo horrível... o mais horrível de todos.

ALBUS *digere isto. Percebe o que fez ao amigo.*

PROFESSORA McGONAGALL (*em voz* off)
Albus? Albus Potter. Scorpius Malfoy. Estão juntos aí dentro? É que vos aconselho a não estarem.

ALBUS *olha para* SCORPIUS *e tira um manto do saco.*

ALBUS
Depressa. Temos de nos esconder.

SCORPIUS
O quê?

ALBUS
Scorpius, olha para mim.

SCORPIUS
Isso é o Manto da Invisibilidade? Não é do James?

ALBUS
Se ela nos encontra, obrigam-nos a ficar separados para sempre. Por favor... Eu não compreendi. Por favor...

PROFESSORA McGONAGALL (*em off, tentando dar-lhes todas as hipóteses*)
Vou entrar.

A **PROFESSORA McGONAGALL** *entra na biblioteca com o Mapa do Salteador na mão. Os rapazes desaparecem debaixo do Manto. Ela olha em redor, exasperada.*

Bem, onde é que eles... Nunca quis esta coisa e agora está a enganar-me.

Pensa. Olha de novo para o mapa. Identifica o sítio onde eles deviam estar. Olha em volta da sala.
Objetos movem-se quando os rapazes, invisíveis, passam por eles. Ela vê para onde eles se dirigem e faz menção de lhes tapar o caminho, mas eles esquivam-se em volta dela.

A não ser que... a não ser que... o manto do teu pai.

Volta a olhar para o mapa, olha para os rapazes. Sorri para si própria.

Bem, se não vos vejo, não vos vejo.

Sai. Os dois rapazes tiram o Manto. Ficam sentados em silêncio durante um momento.

ALBUS
Sim, roubei-o ao James. É muito fácil roubar-lhe coisas, o código do malão dele é a data em que recebeu a sua primeira vassoura. Descobri que o Manto faz com que seja mais fácil evitar os brutamontes.

SCORPIUS *faz um gesto de concordância.*

Lamento... pela tua mãe. Sei que não falamos dela o suficiente... desculpa... é uma chatice... o que lhe aconteceu a ela... e a ti.

SCORPIUS
Obrigado.

ALBUS
O meu pai disse... disse que tu eras a tal nuvem negra à minha volta. O meu pai começou a pensar... e eu percebi que tinha de me afastar e, se não o fizesse, o meu pai disse que ia...

SCORPIUS
O teu pai pensa que os rumores são verdade... que eu sou filho do Voldemort?

ALBUS *(assente com um gesto de cabeça)*
O departamento dele anda a investigar.

SCORPIUS
Ótimo, eles que investiguem. Às vezes... às vezes dou comigo a pensar... talvez até seja verdade.

ALBUS
Não, não é nada verdade. E digo-te porquê. Porque acho que o Voldemort é incapaz de ter um filho bondoso... e tu és bom, Scorpius. Até ao mais fundo do teu ser, até à ponta dos dedos. Acredito mesmo que o Voldemort... que o Voldemort não podia ter um filho como tu.

Pausa curta. SCORPIUS *fica comovido com estas palavras.*

SCORPIUS
Isso é fixe... é bom saber.

ALBUS
E é uma coisa que eu já devia ter dito há muito tempo. Na verdade, tu és provavelmente a melhor pessoa que eu conheço. E não... não me estavas a prejudicar... tu fazes-me mais forte... e quando o meu pai nos obrigou a separar... sem ti...

SCORPIUS
Eu também não estava a gostar lá muito da minha vida sem ti.

ALBUS

E eu sei que serei sempre o filho do Harry Potter... e hei de resolver a coisa... e sei que, comparada com a tua, a minha vida é bastante boa e que eu e ele temos sorte em comparação e...

SCORPIUS (*interrompendo*)

Albus, no tocante a desculpas, isto é um exagero maravilhoso, mas estás outra vez a começar a falar mais de *ti* do que de *mim*, por isso mais vale parares enquanto estás em vantagem.

ALBUS sorri e estende-lhe a mão.

ALBUS

Amigos?

SCORPIUS

Sempre.

SCORPIUS estende a mão e ALBUS puxa-o e dá-lhe um abraço.

É a segunda vez que fazes isso.

Os dois rapazes separam-se e sorriem.

ALBUS

Mas estou contente por termos tido esta discussão porque me deu uma ideia mesmo boa.

SCORPIUS

Sobre quê?

ALBUS

Tem que ver com a segunda tarefa. E com humilhação.

SCORPIUS

Continuas a falar em recuar no tempo? Será que estivemos a ter a mesma conversa?

ALBUS

Tens razão... somos uns falhados. Somos ótimos a perder e, por isso, devíamos usar os nossos conhecimentos. Os nossos próprios poderes. Os falhados são ensinados a sê-lo. E só há uma forma de ensinar um falhado e nós sabemos isso melhor que ninguém. Humilhação. Temos de o humilhar. Portanto, na segunda tarefa é isso que vamos fazer.

SCORPIUS *fica pensativo durante algum tempo e depois sorri.*

SCORPIUS
É uma estratégia mesmo boa.

ALBUS
Bem sei.

SCORPIUS
Quero dizer, é espetacular. Humilhar o Cedric para o salvar. Esperto. E a Rose?

ALBUS
Isso é uma surpresa incrível que não vou desvendar. Consigo fazê-lo sem ti... mas quero-te lá. Porque quero fazer isto contigo. Quero emendar as coisas contigo. Portanto... vens?

SCORPIUS
Mas, espera lá, a segunda tarefa não tem... não teve lugar no lago? E tu não tens autorização para sair do edifício da escola.

ALBUS *faz um grande sorriso.*

ALBUS
Sim. Em relação a isso... temos de ir à procura da casa de banho das raparigas do primeiro andar.

CENA DEZASSETE

HOGWARTS, ESCADAS

RON *vem a descer uma escada, apreensivo, e depois vê* HERMIONE *e a sua expressão muda completamente.*

RON

Professora Granger.

HERMIONE *olha, o seu coração também dá um salto (embora ela não o admita).*

HERMIONE

Ron, o que fazes aqui?

RON

O Panju meteu-se numa trapalhada na aula de Poções. Estava a gabar-se, claro, e juntou o ingrediente errado com outro errado e agora não tem sobrancelhas e parece que tem um bigode enorme. E que não lhe fica nada bem. Eu não queria vir, mas a Padma diz que, quando se trata de pelos na cara, os filhos precisam dos pais. Fizeste alguma coisa ao cabelo?

HERMIONE

Acho que só o penteei.

RON

Bom... fica-te bem.

HERMIONE *olha para* RON *com alguma estranheza.*

HERMIONE
Ron, importas-te de deixar de olhar assim para mim?

RON (*tentando mostrar-se confiante*)
Sabes, o filho do Harry, o Albus... disse-me outro dia que pensava que eu e tu éramos... casados. Ha ha. Ha ha. Que ridículo.

HERMIONE
Que ridículo.

RON
Ele até pensava que tínhamos uma filha. Isso era muito estranho, não era?

Os olhares de ambos ficam presos. HERMIONE *é a primeira a desviar o seu.*

HERMIONE
·Estranhíssimo.

RON
Exatamente. Nós somos... amigos e pronto.

HERMIONE
Absolutamente. Apenas amigos.

RON
Apenas amigos. Uma palavra engraçada... amigos. Não é assim tão engraçada. Amigos. Amigo. Amigo engraçado. Tu, minha amiga engraçada, a minha Hermione. Não é isso, não é a *minha* Hermione, tu percebes... não é a MINHA Hermione... não é MINHA... percebes, mas...

HERMIONE
Eu percebo.

Faz-se uma pausa. Nenhum dos dois se mexe. Tudo aquilo lhes parece tão importante que não se atrevem a mexer-se. Depois RON *tosse.*

RON

Bem, tenho de ir andando. Ajudar o Panju. Ensinar-lhe a bela arte de tratar do bigode.

Segue caminho, vira-se e olha para HERMIONE. *Ela olha também para trás. Ele apressa o passo.*

O cabelo fica-te mesmo muito bem assim.

ATO DOIS CENA DEZOITO

HOGWARTS, GABINETE DA DIRETORA

A PROFESSORA McGONAGALL *está em cena sozinha. Olha para o mapa. Franze o sobrolho. Bate no mapa com a varinha. Sorri para si própria ao tomar uma boa decisão.*

PROFESSORA McGONAGALL
Asneira terminada.

> *Ouve-se um chocalhar.*
> *Parece que todo o espaço vibra.*
> GINNY *é a primeira a sair da lareira, logo seguida de* HARRY.

GINNY
Professora, não posso dizer que isto se tenha tornado mais digno.

PROFESSORA McGONAGALL
Potter, voltaste. E parece que conseguiste finalmente estragar-me o tapete.

HARRY
Tenho de encontrar o meu filho. Temos.

PROFESSORA McGONAGALL
Harry, pensei nisto e decidi que não me quero envolver. Por mais que me ameaces, eu...

HARRY

Minerva, vim em paz, não para uma guerra. Nunca devia ter falado consigo daquela forma.

PROFESSORA McGONAGALL

É que eu acho que não devo interferir nas amizades e acredito que...

HARRY

Tenho de lhe pedir desculpa a si e ao Albus, dá-me essa oportunidade?

DRACO *chega a seguir a eles com uma explosão de fuligem.*

PROFESSORA McGONAGALL

Draco?

DRACO

Ele precisa de ver o filho dele e eu preciso de ver o meu.

HARRY

Como eu disse... em paz... não em guerra.

A PROFESSORA McGONAGALL *estuda-lhe o rosto, vê a sinceridade que procurava. Tira o mapa do bolso e abre-o.*

PROFESSORA McGONAGALL

Bem, certamente que posso fazer parte da paz.

Bate no mapa com a varinha. Suspira.

Juro solenemente que vou fazer asneira.

O mapa ilumina-se e fica pronto.

Bem, eles estão juntos.

DRACO

Na casa de banho das raparigas, no primeiro andar. Que diabo estarão lá a fazer?

ATO DOIS CENA DEZANOVE

HOGWARTS, CASA DE BANHO DAS RAPARIGAS

SCORPIUS e ALBUS *entram numa casa de banho. No meio vê-se um grande lavatório vitoriano.*

SCORPIUS
Portanto, deixa-me ver... o plano é o Encantamento de Ampliar...

ALBUS
Sim. Scorpius, o sabonete, se não te importas...

SCORPIUS *tira um sabonete do lavatório.*

Engorgio!

ALBUS *dispara um raio da varinha através da casa de banho. O sabonete aumenta quatro vezes o seu tamanho.*

SCORPIUS
Brutal! Considera-me impressionado.

ALBUS
A segunda tarefa foi a do lago. Eles tinham de ir buscar algo que lhes tinha sido tirado, e que se veio a revelar ser...

SCORPIUS
... as pessoas de quem gostavam.

ALBUS

O Cedric usou um Encantamento Cabeça-de-Bolha para nadar através do lago. Tudo o que temos de fazer é segui--lo e usar o Encantamento de Ampliar para o transformar numa coisa muito grande. Sabemos que o Vira-Tempo não nos dá muito tempo, portanto vamos ser rápidos. Chegamos junto dele e Ampliamos-lhe a cabeça e ficamos a vê-lo flutuar para longe do lago... afastando-se da tarefa... para longe da competição...

SCORPIUS

Mas... ainda não me disseste como é que vamos chegar ao lago...

E então, de súbito, um jato de água sai do lavatório, seguido de uma MURTA QUEIXOSA *muito molhada.*

MURTA QUEIXOSA

Uau. Sabe bem. Não costumava gostar disto, mas quando se chega à minha idade, aceita-se tudo o que vem...

SCORPIUS

Claro... és um génio... a Murta Queixosa...

A MURTA QUEIXOSA *desce sobre* SCORPIUS.

MURTA QUEIXOSA

O que é que me chamaste? Eu queixo-me? Estou a queixar--me? *Estou? Estou?*

SCORPIUS

Não, eu não queria dizer...

MURTA QUEIXOSA

Como é que eu me chamo?

SCORPIUS

Murta.

MURTA QUEIXOSA

Exatamente. Murta Elizabeth Warren... um nome bonito, o meu nome. Não preciso cá do Queixosa.

SCORPIUS

Bem...

MURTA QUEIXOSA (*com um risinho*)

Já passou um tempo. Rapazes! Na minha casa de banho. Na minha casa de banho das raparigas. Bem, não está correto... mas também sempre tive um fraquinho pelos Potters. E também fui moderadamente parcial com um Malfoy. Bom, em que é que vos posso ajudar?

ALBUS

Murta, tu estiveste lá no lago. Escreveram sobre ti. Deve haver uma forma de sair destes canos.

MURTA QUEIXOSA

Eu estive em todo o lado. Mas estavam a pensar especificamente em quê?

ALBUS

Na segunda tarefa. A tarefa do lago. Do Torneio dos Três Feiticeiros. Há vinte e cinco anos. O Harry e o Cedric.

MURTA QUEIXOSA

Que pena o bonito ter morrido. Não que o teu pai não seja bonito, mas o Cedric Diggory... ficariam espantados com o número de raparigas que tive de ouvir a fazer encantamentos de amor nesta mesma casa de banho... e a chorar desalmadamente depois de ele ter sido levado.

ALBUS

Ajuda-nos, Murta, ajuda-nos a chegar a esse mesmo lago.

MURTA QUEIXOSA

Acham que vos posso ajudar a viajar no tempo?

ALBUS

Precisamos que guardes um segredo.

MURTA QUEIXOSA

Adoro segredos. Não digo a ninguém. Juro pela minha alma... ou o equivalente. Para os fantasmas, estão a ver?

ALBUS *faz um gesto de cabeça para* SCORPIUS, *que mostra o Vira-Tempo.*

ALBUS

Nós conseguimos viajar no tempo. Tu vais ajudar-nos a percorrer os canos. Vamos salvar o Cedric Diggory.

MURTA QUEIXOSA *(a sorrir)*

Bom, parece divertido.

ALBUS

E não temos tempo a perder.

MURTA QUEIXOSA

É este lavatório. Este lavatório despeja diretamente para o lago. Quebra todos os regulamentos, mas esta escola foi sempre antiquada. Enfiem-se pelos canos abaixo e vão dar direitinhos ao lago.

ALBUS *salta para o lavatório, deixando cair o manto.* SCORPIUS *imita-o.*

ALBUS *dá a* SCORPIUS *um saco com umas folhas verdes.*

ALBUS

São umas para ti e outras para mim.

SCORPIUS

Guelracho? Vamos usar guelracho? Para respirar debaixo de água?

ALBUS

Tal como fez o meu pai. Bom, estás pronto?

SCORPIUS

Lembra-te, desta vez não nos podemos deixar apanhar pelo relógio...

ALBUS
Cinco minutos, é tudo o que podemos gastar antes de sermos puxados para o presente.

SCORPIUS
Diz-me que isto vai correr bem.

ALBUS (*a sorrir*)
Vai correr tudo lindamente. Estás pronto?

ALBUS engole o guelracho e desaparece pelo cano abaixo.

SCORPIUS
Não, Albus... Albus...

Olha e vê que ele e a MURTA QUEIXOSA estão sozinhos.

MURTA QUEIXOSA
Gosto mesmo de rapazes valentes.

SCORPIUS (*com um pouco de medo e um bocadinho de valentia*)
Então, estou prontíssimo. Para o que aí vier.

Engole o guelracho e desaparece pelo cano abaixo.
A MURTA QUEIXOSA fica sozinha em cena.
Há um enorme clarão e ouve-se um estrépito.
E o tempo para. E depois dá uma reviravolta, pensa um pouco, e começa a desbobinar para trás...
Os rapazes desapareceram.
HARRY aparece a correr, uma expressão carregada no rosto.
Atrás dele vêm DRACO, GINNY e a PROFESSORA McGONAGALL.

HARRY
Albus... Albus...

GINNY
Desapareceu.

Encontram os mantos dos rapazes no chão.

PROFESSORA McGONAGALL (*consultando o mapa*)

Ele desapareceu. Não, está a passar por baixo dos terrenos de Hogwarts, não, desapareceu...

DRACO

Como é que ele faz isso?

MURTA QUEIXOSA

Está a usar uma bugiganga qualquer muito engraçada.

HARRY

Murta!

MURTA QUEIXOSA

Ups, apanhaste-me. E eu que estava a tentar tanto esconder-me. Olá, Harry. Olá, Draco. Voltaram a portar-se mal?

HARRY

Que bugiganga é essa?

MURTA QUEIXOSA

Acho que era um segredo, mas nunca te consegui esconder nada, Harry. Como é que ficaste cada vez mais bonito à medida que envelheceste? E estás mais alto!

HARRY

O meu filho está em perigo. Preciso da tua ajuda. Que andam eles a fazer, Murta?

MURTA QUEIXOSA

Ele anda a tentar salvar um rapaz todo giraço. Um tal Cedric Diggory.

HARRY *percebe imediatamente o que aconteceu e fica horrorizado.*

PROFESSORA McGONAGALL

Mas o Cedric Diggory morreu há anos...

MURTA QUEIXOSA

Ele pareceu-me muito confiante de ser capaz de contornar esse facto. Mostra muita confiança, Harry, tal como tu.

HARRY

Ele ouviu-me falar com o Amos Diggory... será que ele tem o Vira-Tempo do Ministério? Não, isso é impossível.

PROFESSORA McGONAGALL

O Ministério tem um Vira-Tempo? Pensei que tinham sido destruídos.

MURTA QUEIXOSA

Não é que são todos tão mauzinhos...?

DRACO

Será que alguém me pode explicar o que se passa?

HARRY

O Albus e o Scorpius não andam a desaparecer e a reaparecer. Andam a viajar. A viajar no tempo.

ATO DOIS   CENA VINTE

TORNEIO DOS TRÊS FEITICEIROS, LAGO, 1995

LUDO BAGMAN

Minhas senhoras e meus senhores, meninas e meninos, eis o maior... o mais fabuloso... o único TORNEIO DOS TRÊS FEITICEIROS! Se são de Hogwarts deem-me um viva.

Ouvem-se vivas ruidosos.

E **ALBUS** *e* **SCORPIUS** *nadam através do lago. Descem para o fundo com facilidade e elegância.*

Se são de Durmstrang... deem-me um viva.

Ouvem-se vivas ruidosos.

E SE SÃO DE BEAUXBATONS DEEM-ME UM VIVA.

Ouvem-se vivas um pouco menos frouxos.

As francesas estão a apanhar-lhe o jeito.
E partiram... o Viktor é um tubarão, é claro, a Fleur está incrível, o sempre valente Harry Potter usa o guelracho, esperto, muito esperto... e o Cedric... bem, o Cedric, que maravilha, minhas senhoras e meus senhores, o Cedric usa um Encantamento Cabeça-de-Bolha para mergulhar no lago.

CEDRIC DIGGORY *aproxima-se deles no meio da água, a cabeça coberta por uma bolha.* ALBUS *e* SCORPIUS *erguem as varinhas e disparam um Encantamento de Ampliar através da água.*

Ele vira-se e olha para eles, confuso. E é atingido. E em volta dele a água tem um brilho dourado.

E então CEDRIC *começa a aumentar... mais e mais e ainda mais. Olha em seu redor, completamente em pânico. E os rapazes ficam a olhar, enquanto* CEDRIC *sobe, impotente, através da água.*

Mas não, o que é isto... o Cedric Diggory projetou-se da água e aparentemente está a deixar a competição. Oh, minhas senhoras e meus senhores, não sabemos quem é o vencedor, mas sabemos quem perdeu. O Cedric Diggory está a transformar-se num balão, um balão que quer voar. Voar para longe da tarefa e do torneio e... oh, não, a coisa fica ainda mais louca, em volta do Cedric *explodem* foguetes que anunciam «o Ron ama a Hermione». A multidão adora... oh, minhas senhoras e meus senhores, a expressão no rosto do Cedric... É cá uma visão, é cá um espetáculo, é uma tragédia. Isto é uma humilhação, não há outra palavra.

E ALBUS *faz um grande sorriso e dá mais cinco a* SCORPIUS *dentro de água.*

E ALBUS *aponta para cima,* SCORPIUS *assente, e começam a nadar para a superfície. E, à medida que* CEDRIC *vai subindo, as pessoas começam a rir-se e tudo muda.*

O mundo fica mais escuro. Na verdade, fica quase negro. E vê-se um clarão. E ouve-se um estrépito. E o Vira-Tempo para. E estamos de novo no presente.

SCORPIUS *emerge de súbito do fundo das águas. E está triunfante.*

SCORPIUS

Iupi!

Olha em seu redor, surpreendido. Onde está Albus? Ergue os braços.

Conseguimos!

Espera mais um pouco.

Albus?

Albus continua sem emergir. SCORPIUS *põe-se a boiar, pensa melhor e volta a mergulhar.*
Volta a emergir. Agora completamente em pânico. Olha em seu redor.

Albus... ALBUS... ALBUS.

E ouve-se um sussurro em serpentês que percorre rapidamente o público. Ele vem aí. Ele vem aí. Ele vem aí.

DOLORES UMBRIDGE

Scorpius Malfoy, sai do lago. Sai do lago imediatamente.

Puxa-o para fora de água.

SCORPIUS

Miss, preciso de ajuda. Por favor, Miss.

DOLORES UMBRIDGE

Miss? Sou a Professora Umbridge, a diretora da tua escola, não sou menina nenhuma.

SCORPIUS

É a diretora? Mas eu...

DOLORES UMBRIDGE

Sou a diretora e por mais importante que seja a tua família... não te dá o direito de vadiar, de andar a fazer asneiras.

SCORPIUS

Está um rapaz no lago. É preciso ir buscar ajuda. Ando à procura do meu amigo, Miss. Professora. Diretora. Um dos alunos de Hogwarts, Miss. Ando à procura do Albus Potter.

DOLORES UMBRIDGE

Potter? Albus Potter? Não há nenhum aluno com esse nome. Na verdade, não há nenhum Potter em Hogwarts há anos. E esse rapaz não se saiu lá muito bem. Não se pode dizer «Descanse em paz», é mais «Descanse em eterno desespero». Um agitador do piorio.

SCORPIUS

O Harry Potter morreu?

De súbito, vinda das bancadas, sente-se uma onda de vento. Surgem mantos negros em volta das pessoas. Mantos negros que se transformam em formas negras. Que se transformam em Dementors.

Dementors que voam pelo meio das bancadas. Umas formas negras e fatais, umas forças negras e fatais. São a razão de todos os receios. E sugam o espírito das bancadas.

O vento persiste. É o Inferno. E então, mesmo do fundo da cena e sussurrando em volta dos presentes, palavras ditas numa voz inconfundível. A voz de VOLDEMORT...

Haaarry Potttter...

O sonho de Harry tornou-se realidade.

DOLORES UMBRIDGE

Engoliste alguma coisa esquisita ali dentro? Tornaste-te um Sangue de Lama sem nós darmos por isso? O Harry Potter morreu há mais de vinte anos, durante aquele golpe falhado na escola. Era um dos terroristas do Dumbledore que valentemente derrotámos na Batalha de Hogwarts. Agora vem daí... não sei qual é o teu jogo mas estás a perturbar os Dementors e a estragar completamente o Dia de Voldemort.

E os sussurros em serpentês tornam-se cada vez mais altos. Tornam-se monstruosamente altos. E faixas gigantes com símbolos de serpentes descem sobre a cena.

SCORPIUS
O Dia de Voldemort?

Faz-se escuro total.

FIM DA PRIMEIRA PARTE

PARTE DOIS

PARTE DOIS
ATO TRÊS

ATO TRÊS   CENA UM

HOGWARTS, GABINETE DA DIRETORA

SCORPIUS *entra no gabinete de* DOLORES UMBRIDGE. *Enverga vestes mais escuras, mais negras. Tem um olhar pensativo. Permanece tenso e vigilante.*

DOLORES UMBRIDGE
Scorpius. Muito obrigada por teres vindo.

SCORPIUS
Diretora.

DOLORES UMBRIDGE
Scorpius, como sabes há muito tempo que penso que tens potencial para ser Delegado dos Alunos. De puro-sangue, um líder nato, um atleta maravilhoso...

SCORPIUS
Atleta?

DOLORES UMBRIDGE
Nada de modéstias, Scorpius. Tenho-te visto no campo de Quidditch e é raro não apanhares uma *snitch*. És um aluno que muito valorizamos. Os professores. Eu própria em especial. Fartei-me de te gabar em mensagens ao Áugure. O trabalho que temos feito juntos, a expulsar os alunos mais diletantes, tem tornado a escola mais segura, mais pura.

SCORPIUS

Ah tem?

Ouve-se um grito em off. SCORPIUS *vira-se na direção do som. Mas descarta a ideia. Tem de se controlar e vai fazê-lo.*

DOLORES UMBRIDGE

Contudo, nos três dias desde que te descobri no lago no Dia de Voldemort, tens ficado... cada vez mais estranho, em especial esta tua obsessão súbita pelo Harry Potter...

SCORPIUS

Eu não...

DOLORES UMBRIDGE

A fazeres perguntas a toda a gente sobre a Batalha de Hogwarts. Sobre como morreu o Potter. Sobre porque morreu o Potter. E esse fascínio ridículo pelo Cedric Diggory. Scorpius, verificámos se tinhas algum bruxedo ou maldição... mas não achámos nada, portanto tenho de te perguntar se posso fazer qualquer coisa para... voltares a ser como eras...

SCORPIUS

Não, não. Considere-me recuperado. Foi uma aberração temporária. Apenas isso.

DOLORES UMBRIDGE

Portanto, podemos continuar com o nosso trabalho?

SCORPIUS

Podemos.

Ela leva a mão ao peito sobre o coração e toca com os pulsos um no outro.

DOLORES UMBRIDGE

Por Voldemort com Valentia.

SCORPIUS (*tentando imitá-la*)

Por... hum... isso.

ATO TRÊS CENA DOIS

HOGWARTS, CAMPOS

KARL JENKINS

Ei, Rei Escorpião.

SCORPIUS é cumprimentado com um dá cá mais cinco. Dói--lhe, ele aguenta.

YANN FREDERICKS

Tudo combinado para amanhã à noite, não é?

KARL JENKINS

Porque nós estamos prontos para estripar a preceito uns quantos Sangues de Lama.

POLLY CHAPMAN

Scorpius.

POLLY CHAPMAN está nas escadas, SCORPIUS vira-se para ela, surpreendido por a ouvir chamá-lo pelo nome.

SCORPIUS

Polly Chapman?

POLLY CHAPMAN

Vamos direitos ao assunto? Eu sei que toda a gente está à espera de saber quem é que vais convidar porque, como sabes, precisas de convidar alguém, e eu já fui convidada

por três pessoas e sei que não hei de ser a única a recusá-
-los todos. Para o caso de me convidares a mim, estás a ver.

SCORPIUS

Sim.

POLLY CHAPMAN

O que era fantástico. Se quiseres. E correm rumores de
que... queres. E eu só queria deixar claro... neste momento...
que também estou interessada. E não são rumores. É um...
f-a-c-t-o... um facto.

SCORPIUS

Isso é... ótimo, mas... de que é que estamos a falar?

POLLY CHAPMAN

Do Baile do Sangue, claro... de quem tu, o Rei Escorpião,
vais levar ao Baile.

SCORPIUS

Tu, Polly Chapman... queres que eu te leve a um... baile?

Ouvem-se gritos atrás dele.

O que é esta gritaria?

POLLY CHAPMAN

São os Sangues de Lama, obviamente. Nas masmorras.
A ideia foi tua, não foi? O que é que se passa contigo? Ora,
Potter, tenho outra vez os sapatos com sangue...

Curva-se e limpa os sapatos com cuidado.

Tal como o Áugure insiste... somos nós que construímos o
futuro... portanto aqui estou eu... a construir um futuro...
contigo. Por Voldemort com Valentia.

SCORPIUS

Por Voldemort seja.

POLLY *segue caminho,* SCORPIUS *segue-a com o olhar, desesperado. Que mundo é este? E que papel desempenha nele?*

198

ATO TRÊS CENA TRÊS

MINISTÉRIO DA MAGIA, GABINETE DO DIRETOR DO DEPARTAMENTO DE EXECUÇÃO DA LEI MÁGICA

DRACO *impressiona de uma maneira nunca antes vista. Exsuda poder. De cada lado da sala, veem-se bandeiras do Áugure — adornadas com a ave à maneira fascista.*

DRACO
Estás atrasado.

SCORPIUS
Este é o seu gabinete?

DRACO
Atrasado e nem pedes desculpa. Talvez estejas determinado a agravar o problema.

SCORPIUS
O pai é o diretor do Departamento de Execução da Lei Mágica?

DRACO
Como é que te atreves? Como te atreves a embaraçar-me e a deixar-me à espera e depois nem pedes desculpa!

SCORPIUS
Desculpe.

DRACO
Senhor.

SCORPIUS

Desculpe, senhor.

DRACO

Eu não te eduquei assim, para seres negligente, Scorpius. Não te eduquei para me humilhares em Hogwarts.

SCORPIUS

Humilhá-lo, senhor?

DRACO

A fazer perguntas sobre o Harry Potter, o Harry Potter! Mais embaraçoso que isso é difícil. Como é que te atreves a desonrar o nome Malfoy!

SCORPIUS

Ah, não. O senhor é responsável? Não. Não. Não pode ser.

DRACO

Scorpius...

SCORPIUS

N'*O Profeta Diário* de hoje vem... três feiticeiros a fazerem explodir pontes para ver quantos Muggles conseguem matar de uma vez só... foi o senhor?

DRACO

Tu tem cuidado, muito cuidado.

SCORPIUS

Os campos da morte dos Sangues de Lama, as torturas, os opositores a serem queimados vivos. Quanto disto é da sua responsabilidade? A mãe sempre me disse que o pai, como homem, era melhor do que eu achava, mas é assim mesmo que o pai é de facto, não é? Um assassino, um torturador, um...

DRACO *ergue-se e puxa* SCORPIUS *para cima da mesa violentamente. A sua violência é surpreendente e mortífera.*

DRACO

Não invoques o nome dela em vão, Scorpius. Não queiras ganhar pontos dessa forma. Ela merece melhor.

SCORPIUS *não diz nada. Horrorizado e apavorado.* DRACO
apercebe-se disso. Larga a cabeça de SCORPIUS. *Não gosta
de magoar o filho.*

E não, esses idiotas a fazerem explodir Muggles não é culpa
minha, embora seja a mim que o Áugure há de pedir para
subornar o primeiro-ministro Muggle com ouro... A tua
mãe disse-te mesmo isso de mim?

SCORPIUS

Disse que o avô não gostava particularmente dela... que
se tinha oposto ao casamento... achava que ela gostava de
mais dos Muggles... que era demasiado fraca... mas que o
pai o enfrentou por causa dela. E disse que isso foi a coisa
mais corajosa que tinha visto.

DRACO

Por ela, era muito fácil ser-se corajoso.

SCORPIUS

Mas nessa altura o pai... era outra pessoa.

Olha para o pai, que o fita de sobrolho franzido.

Eu fiz coisas más, o pai fez coisas ainda piores. Em que é
que nos tornámos, pai?

DRACO

Não nos tornámos em nada... apenas somos como somos.

SCORPIUS

Os Malfoys. A família em que sempre se pode confiar para
tornar o mundo mais lúgubre.

Isto toca DRACO, *que olha o filho atentamente.*

DRACO

Esta coisa na escola, o que te inspirou?

SCORPIUS

Eu não quero ser quem sou.

DRACO

E qual foi o motivo?

SCORPIUS *pensa desesperadamente numa maneira de contar a sua história.*

SCORPIUS

Comecei a ver-me de uma maneira diferente.

DRACO

Sabes do que mais gostava na tua mãe? Mesmo no meio da escuridão, sabia sempre ajudar-me a encontrar a luz. Tornava o meu mundo... menos — qual foi a palavra que usaste? — «lúgubre».

SCORPIUS

Ai era?

DRACO *observa o filho.*

DRACO

Aí dentro tens mais dela do que eu pensava.

Pausa curta. Olha para SCORPIUS *atentamente.*

O que quer que andes a fazer, tem cuidado. Não posso perder-te a ti também.

SCORPIUS

Sim. Senhor.

DRACO *olha para o filho uma última vez, tentando compreender o que lhe vai na cabeça.*

DRACO

Por Voldemort com Valentia.

SCORPIUS *olha-o e recua até sair de cena.*

SCORPIUS

Por Voldemort com Valentia.

CENA QUATRO

HOGWARTS, BIBLIOTECA

SCORPIUS *entra na biblioteca e começa afanosamente a procurar entre os livros. Encontra um livro de História.*

SCORPIUS
Como é que o Cedric se tornou um Devorador da Morte? O que é que me falhou? Encontra-me alguma... luz nesta escuridão.

CRAIG BOWKER JR.
Porque é que estás aqui?

SCORPIUS *vira-se e dá com um* CRAIG *de ar bastante desesperado, a roupa gasta e esfarrapada.*

SCORPIUS
E por que razão não posso estar aqui?

CRAIG BOWKER JR.
Ainda não está pronto. Estou a fazer o mais depressa que consigo. Mas o Professor Snape é tão exigente... e escrever o ensaio de duas maneiras diferentes. Quero dizer, não é que me esteja a queixar... desculpa.

SCORPIUS

Começa outra vez. Do princípio. O que é que não está pronto?

CRAIG BOWKER JR.

O teu trabalho de casa de Poções. E não tenho nenhum problema em fazê-lo... até estou agradecido por isso... e sei que detestas trabalhos de casa e livros, e eu nunca te deixo ficar mal, sabes isso.

SCORPIUS

Eu detesto trabalhos de casa?

CRAIG BOWKER JR.

És o Rei Escorpião. Claro que detestas trabalhos de casa. O que fazes tu aqui com *Uma História da Magia*? Eu também podia fazer esse trabalho. Não é?

Pausa. SCORPIUS *olha para* CRAIG *por um momento e afasta--se.* CRAIG *sai.*

Passados uns instantes, SCORPIUS *regressa de sobrolho franzido.*

SCORPIUS

Ele disse Snape?

ATO TRÊS   CENA CINCO

HOGWARTS, AULA DE POÇÕES

SCORPIUS *entra a correr na aula de Poções. Batendo com a porta.* SEVERUS SNAPE *ergue os olhos para ele.*

SNAPE

Ninguém te ensinou a bater à porta, rapaz?

> SCORPIUS *olha para* SNAPE, *ligeiramente ofegante, ligeiramente inseguro, ligeiramente exultante.*

SCORPIUS

Severus Snape. É uma honra.

SNAPE

Professor Snape serve perfeitamente. Podes comportar-te como um rei na escola, Malfoy, mas isso não nos torna todos teus súbditos.

SCORPIUS

Mas o senhor é a resposta...

SNAPE

Que coisa mais agradável. Se tens alguma coisa a dizer, rapaz, então di-lo... se não, fecha a porta quando saíres.

SCORPIUS

Preciso da sua ajuda.

SNAPE

O meu lema é servir.

SCORPIUS

Só que não sei de que ajuda... preciso. Continua a fazer o seu trabalho clandestino? Ainda trabalha para o Dumbledore?

SNAPE

O Dumbledore morreu. E o trabalho que fazia para ele era público... como professor, nesta escola.

SCORPIUS

Não. Não era só isso que fazia. O senhor vigiava os Devoradores da Morte por conta dele. Dava-lhe conselhos. Toda a gente pensava que o tinha assassinado... mas o senhor tinha andado a apoiá-lo. O senhor salvou o mundo.

SNAPE

Essas são alegações muito perigosas, meu rapaz. E não penses que o nome Malfoy me impede de te castigar.

SCORPIUS

E se eu lhe dissesse que existe um outro mundo... um mundo em que o Voldemort foi derrotado na Batalha de Hogwarts, na qual o Harry Potter e o Exército de Dumbledore ganharam, como é que se sentiria...?

SNAPE

Diria que os rumores que correm em Hogwarts sobre o Rei Escorpião ter perdido o juízo têm fundamento.

SCORPIUS

Houve um Vira-Tempo que foi roubado. Eu roubei um Vira-Tempo. Com o Albus. Tentámos trazer o Cedric de volta dos mortos, ele que tinha morrido. Tentámos impedi-lo de ganhar o Torneio dos Três Feiticeiros. Mas, ao fazê-lo, tornámo-lo uma pessoa completamente diferente.

SNAPE

O Harry Potter ganhou o Torneio dos Três Feiticeiros.

SCORPIUS

Mas não o devia ter feito sozinho. O Cedric devia ter vencido com ele. Mas nós humilhámo-lo e ele saiu da competição. E por causa dessa humilhação tornou-se um Devorador da Morte. Não consigo perceber o que terá feito na Batalha de Hogwarts, se matou alguém ou... mas fez qualquer coisa, e isso mudou tudo.

SNAPE

O Cedric Diggory matou um único feiticeiro e nem sequer muito importante, o Neville Longbottom.

SCORPIUS

Ah, claro, então é isso! O Professor Longbottom era para matar a *Nagini*, a serpente do Voldemort. A *Nagini* tinha de morrer para o Voldemort poder morrer. É isso! Resolveu o mistério! Nós destruímos o Cedric, ele matou o Neville, o Voldemort ganhou a batalha. Está a ver? Está a ver como foi?

SNAPE

Estou a ver que se trata de um jogo à Malfoy. Sai antes que alerte o teu pai e que te meta em sarilhos dos grandes.

SCORPIUS *pensa e então, desesperado, joga a cartada final.*

SCORPIUS

O senhor gostava da mãe dele. Eu não me lembro de tudo. Sei que gostava da mãe dele. A mãe do Harry. A Lily. Sei que passou anos na clandestinidade. Sei que, sem a sua participação, a guerra nunca teria sido ganha. Como é que eu saberia tudo isto se não tivesse visto o outro mundo...?

SNAPE *não diz nada, perturbadíssimo.*

Só o Dumbledore é que sabia, certo? E quando o perdeu, deve ter-se sentido tão sozinho... Eu sei que é um homem bom. O Harry Potter disse ao filho que o senhor é um grande homem.

SNAPE *olha para* SCORPIUS, *sem saber muito bem o que está a passar-se. Será um truque? Sente-se completamente perdido.*

SNAPE

O Harry Potter morreu.

SCORPIUS

Não no meu mundo. Ele disse-me que o senhor foi o homem mais corajoso que alguma vez conheceu. Ele sabia, está a ver, ele sabia o seu segredo, o que fez pelo Dumbledore. E admirava-o por isso... enormemente. E foi por isso que deu o seu nome e o do Dumbledore ao filho, que é o meu melhor amigo: Albus Severus Potter.

SNAPE *detém-se, profundamente emocionado.*

Por favor, pela Lily, pelo nosso mundo, ajude-me...

SNAPE *pensa e dirige-se a* SCORPIUS, *empunhando a varinha ao mesmo tempo.* SCORPIUS *recua um passo, assustado.* SNAPE *lança um feitiço para a porta.*

SNAPE

Colloportus!

Uma fechadura invisível tranca-se com violência. SNAPE *abre um postigo ao fundo da sala de aula.*

Bom, vamos lá então...

SCORPIUS

Só uma pergunta. Onde é que vamos... exatamente?

SNAPE

Tivemos de nos mudar tantas vezes. Onde quer que nos instalássemos, eles iam e destruíam tudo. Isto leva-nos a uma sala escondida nas raízes do Salgueiro Zurzidor.

SCORPIUS

OK, e quem são vocês?

SNAPE

Oh, já vais ver.

ATO TRÊS CENA SEIS

SALA DA CAMPANHA

SCORPIUS *é preso à mesa por uma* HERMIONE *de aparência bastante magnificente. A roupa desbotada, os olhos em chamas, é uma verdadeira guerreira, o que lhe fica muito bem.*

HERMIONE

Um único movimento e o teu cérebro transforma-se num sapo e os teus braços em borracha.

SNAPE

Não há problema. Ele é de confiança. (*Pausa curta.*) Sabes, tu nunca foste boa a ouvir. Já eras uma grande maçada quando eras aluna e continuas a sê-la agora que... sejas lá tu o que fores.

HERMIONE

Eu era uma excelente aluna.

SNAPE

Eras aceitável quando muito. Ele está do nosso lado!

SCORPIUS

Estou, Hermione.

HERMIONE *olha para* SCORPIUS, *ainda muito desconfiada.*

HERMIONE

A maioria das pessoas trata-me por Granger. E não acredito numa única palavra que dizes, Malfoy.

SCORPIUS

A culpa é toda minha. É minha culpa. E do Albus.

HERMIONE

O Albus? O Albus Dumbledore? O que é que o Albus Dumbledore tem que ver com isto?

SNAPE

Ele não está a referir-se ao Dumbledore. O melhor é sentares-te.

> RON *entra apressado. O cabelo espetado. As roupas desleixadas. Com uma aparência ligeiramente menos credível que a de* HERMIONE, *enquanto rebelde.*

RON

Snape, uma visita real e... (*vê* SCORPIUS *e fica alarmado de imediato*) o que é que ele está aqui a fazer?

> *Consegue tirar a varinha a custo.*

Estou armado e... sou muito perigoso e aconselho-te seriamente a...

> *Apercebe-se de que tem a varinha ao contrário e corrige a posição.*

... teres muito cuidado...

SNAPE

Ele está do nosso lado, Ron.

> RON *olha para* HERMIONE, *que assente.*

RON

Graças a Dumbledore.

ATO TRÊS CENA SETE

SALA DA CAMPANHA

HERMIONE está sentada a estudar o Vira-Tempo enquanto RON *tenta digerir tudo aquilo.*

RON

Portanto estás a dizer-me que toda a história depende do... Neville Longbottom? É uma grande loucura.

HERMIONE

É verdade, Ron.

RON

Certo. E tu tens a certeza porque...

HERMIONE

O que ele sabe sobre o Snape, sobre todos nós, não há forma de ele poder...

RON

Talvez seja muito bom a adivinhar...?

SCORPIUS

Não sou nada. Pode ajudar-me?

RON

Somos os únicos que podemos. O Exército de Dumbledore encolheu consideravelmente desde o seu auge; na verdade, não resta praticamente mais ninguém para além de nós, mas continuámos a lutar. Escondidos em plena vista. A fazer o nosso melhor por os irritar. Aqui a Granger é uma mulher procurada. Eu sou um homem procurado.

SNAPE (*secamente*)

Menos procurado.

HERMIONE

Para que fique claro, nesse outro mundo... antes de tu te teres intrometido?

SCORPIUS

O Voldemort morreu. Foi morto na Batalha de Hogwarts. O Harry é diretor do Departamento de Execução da Lei Mágica. E a senhora é Ministra da Magia.

> HERMIONE *detém-se, surpreendida com isto, e ergue o olhar com um sorriso.*

HERMIONE

Eu sou Ministra da Magia?

RON (*a querer juntar-se à brincadeira*)

Incrível! E eu, o que é que eu faço?

SCORPIUS

Dirige as Magias Mirabolantes dos Weasleys.

RON

OK, portanto ela é Ministra da Magia e eu tenho... uma loja de brincadeiras mágicas?

> SCORPIUS *olha para o rosto magoado de* RON.

SCORPIUS

Mas a sua ocupação principal é a educação dos seus filhos.

RON

Excelente. Espero que a mãe seja boazona.

SCORPIUS (*corando*)

Bem... hã... depende do que considerar... é o seguinte, vocês os dois têm assim tipo filhos em conjunto. Uma filha e um filho.

Os dois erguem o olhar, espantados.

São casados. Apaixonados. Tudo. Da outra vez também ficaram chocados. Quando a Hermione era professora de Defesa contra a Magia Negra e o Ron era casado com a Padma. Ficam *constantemente* surpreendidos com isto.

HERMIONE *e* RON *olham um para o outro e depois desviam o olhar. E depois* RON *volta a olhar e clareia a garganta várias vezes. De cada vez com menos convicção.*

HERMIONE

Fecha a boca quando olhas para mim, Weasley.

RON *assim faz, embora continue atarantado.*

E... o Snape? O que é que o Snape faz neste outro mundo?

SNAPE

Presume-se que morri.

Olha para SCORPIUS. *O rosto deste fica amargurado e* SNAPE *faz um sorriso irónico.*

Ficaste um bocado surpreendido de mais ao ver-me. Como?

SCORPIUS

Com bravura.

SNAPE

Quem?

SCORPIUS

O Voldemort.

SNAPE

Mas que irritante...

Faz-se um silêncio de morte enquanto SNAPE *digere isto.*

No entanto, suponho que haja glória em ser eliminado pelo próprio Senhor das Trevas.

HERMIONE

Lamento, Severus.

SNAPE *olha para ela e engole a dor. Indica* RON *com um gesto de cabeça.*

SNAPE

Bom, pelo menos não sou casado com ele.

HERMIONE

Que feitiços usaste?

SCORPIUS

Expelliarmus na primeira tarefa e *Engorgio* na segunda.

RON

Encantamentos de Proteção simples devem corrigir isso.

SNAPE

E depois vieste-te embora?

SCORPIUS

O Vira-Tempo trouxe-nos de volta, sim. Aí é que está, com este Vira-Tempo só temos cinco minutos no passado.

HERMIONE

E continuam a poder movimentar-se só no tempo e não no espaço?

SCORPIUS

Sim, sim, é... hã... viajamos para trás no mesmo local onde estamos...

HERMIONE

Interessante.

SNAPE *e* HERMIONE *sabem ambos o significado disto.*

SNAPE

Então, sou só eu e o rapaz.

HERMIONE

Sem ofensa, Snape, mas não confio em ninguém para isto...
é demasiado importante.

SNAPE

Hermione, és a rebelde mais procurada em todo o mundo
da feitiçaria. Fazer isto exige que vás lá fora. Quando foi a
última vez que saíste?

HERMIONE

Já faz muito tempo, mas...

SNAPE

Se fores encontrada lá fora, os Dementors dão-te o beijo...
sugam-te a alma...

HERMIONE

Severus, estou farta de viver de restos, de fazer tentativas
falhadas de golpes, esta é a nossa oportunidade de restaurar
o mundo.

Faz um gesto de cabeça a RON, *que desenrola um mapa.*

A primeira tarefa do torneio teve lugar na orla da Floresta
Proibida. Viramos o tempo aqui, chegamos ao torneio,
bloqueamos o feitiço e regressamos em segurança. Com
precisão pode fazer-se e não precisamos de mostrar a cara
lá fora no nosso tempo. Depois viramos o tempo de novo,
dirigimo-nos ao lago e revertemos a segunda tarefa.

SNAPE

Estás a arriscar tudo...

HERMIONE

Se fizermos isto bem, o Harry fica vivo, o Voldemort morto
e o Áugure desaparece. Para isso nenhum risco é demasiado
grande. Embora lamente que para ti tenha custos.

SNAPE

Por vezes é preciso arcar com os custos.

Os dois olham um para o outro, SNAPE concorda com um gesto, HERMIONE também. A expressão de SNAPE fica ligeiramente abatida.

Não acabei de fazer uma citação do Dumbledore, pois não?

HERMIONE *(com um sorriso)*

Não, tenho a certeza de que é Severus Snape no seu melhor.

Vira-se para SCORPIUS, indica o Vira-Tempo com um gesto.

Malfoy.

SCORPIUS traz-lhe o Vira-Tempo. Ela sorri para o objeto, empolgada por usar de novo um Vira-Tempo, por usá-lo para isto.

Esperemos que isto dê resultado.

Pega no Vira-Tempo, que começa a vibrar e depois explode numa tempestade de movimento.
E vê-se uma explosão gigante de luz. Um ruído estrondoso.
E o tempo para. E depois vira, pensa um pouco, e começa a rolar para trás, devagar ao princípio...
Ouve-se um estoiro e vê-se um clarão e o nosso bando desaparece.

ATO TRÊS CENA OITO

ORLA DA FLORESTA PROIBIDA, 1994

E vemos uma repetição da cena da Parte Um, mas que decorre no fundo da cena e não na boca de cena. Avistamos ALBUS *e* SCORPIUS *com os mantos de Durmstrang. E, no meio de tudo, ouvimos o «incrível» (de novo nas suas palavras)* LUDO BAGMAN.

SCORPIUS, HERMIONE, RON *e* SNAPE *observam ansiosamente.*

LUDO BAGMAN

E Cedric Diggory entrou no palco. E parece pronto. Assustado mas pronto. Esquiva-se para um lado. Esquiva--se para o outro. As raparigas desmaiam quando ele se baixa, a proteger-se. Gritam em uníssono: «Não magoe o nosso Diggory, Mr. Dragon.» E o Cedric desvia-se para a esquerda, mergulha para a direita... empunha a varinha...

SNAPE

Isto está a levar demasiado tempo. O Vira-Tempo está a girar.

LUDO BAGMAN

Que esconderá na manga este belo jovem valente?

Quando ALBUS *tenta convocar a varinha de Cedric,* HER-MIONE *bloqueia o feitiço. Ele olha para a varinha, desconsolado, sem saber por que motivo não deu resultado.*

218

E então o Vira-Tempo gira e eles olham para ele e entram em pânico e são puxados para o interior dele.

Um cão... ele Transfigurou uma pedra num cão... Cedric Diggory, o mago canino... o dínamo de quatro patas.

ATO TRÊS CENA NOVE

ORLA DA FLORESTA PROIBIDA

Regressaram da viagem no tempo na orla da floresta e RON *está com muitas dores.* SNAPE *olha em seu redor, percebendo logo a trapalhada em que estão metidos.*

RON

Ai. Ai. Aiaiaiai.

HERMIONE

Ron... Ron... o que é que te aconteceu?

SNAPE

Oh, não, eu já calculava.

SCORPIUS

O Vira-Tempo também fez qualquer coisa ao Albus. Da primeira vez em que andámos para trás.

RON

Uma... boa... altura... ai... para nos dizeres.

SNAPE

Estamos à superfície. Temos de sair daqui. Já.

HERMIONE

Ron, ainda consegues andar, vá lá...

RON *levanta-se, a gritar de dor.* SNAPE *ergue a varinha.*

SCORPIUS

Deu resultado?

HERMIONE

Bloqueámos o feitiço. O Cedric ficou com a varinha. Sim, deu resultado.

SNAPE

Mas regressámos ao lugar errado. Estamos à superfície. Tu estás cá fora.

RON

Temos de usar o Vira-Tempo outra vez... sair daqui...

SNAPE

Temos de arranjar abrigo. Estamos horrivelmente expostos.

De súbito, das bancadas, a sensação de um bafo de vento gélido.
Em volta das pessoas erguem-se mantos negros. Mantos negros que se transformam em formas negras. Que se transformam em Dementors.

HERMIONE

Demasiado tarde.

SNAPE

Isto é uma desgraça.

HERMIONE *(apercebendo-se do que tem de fazer)*

Eles vêm atrás de mim, não atrás de vocês. Ron, amo-te e sempre te amei. Mas vocês os três têm de fugir. Vão. Já.

RON

O quê?

SCORPIUS

O quê?

RON

Podemos falar primeiro dessa coisa do amor?

HERMIONE
Este ainda é o mundo do Voldemort. E eu estou farta dele.
Reverter a próxima tarefa vai mudar tudo.

SCORPIUS
Mas eles vão dar-lhe o beijo. Sugar-lhe a alma.

HERMIONE
E depois tu mudas o passado. E eles já não fazem isso. Vão. Já.

*Os Dementors sentem-nos. De todos os lados descem formas
que gritam.*

SNAPE
Vão! Vamos.

Puxa pelo braço de SCORPIUS. SCORPIUS *vai com ele relu-
tantemente.*
HERMIONE *olha para* RON.

RON
Bom, eles também andam um bocadinho atrás de mim e
estou mesmo com muitas dores. E, sabes, prefiro ficar aqui.
Expecto...

Quando ele ergue o braço para lançar o feitiço, HERMIONE
impede-o.

HERMIONE
Vamos demorá-los aqui e dar ao rapaz todas as hipóteses
que pudermos.

RON *olha para ela e depois concorda com tristeza.*

Uma filha.

RON
E um filho. Também gostei dessa ideia.

Olha em seu redor... Já sabe qual é o seu destino.

Tenho medo.

HERMIONE

Beija-me.

RON *pensa e depois beija-a. E então os dois são brutalmente separados e pregados ao chão. E nós assistimos a uma névoa de um branco-dourado a ser arrancada dos corpos deles. Sugaram-lhes as almas. É aterrador.*
SCORPIUS *observa, impotente.*

SNAPE

Vamos até à beira da água. Caminha. Não corras.

SNAPE *olha para* SCORPIUS.

Mantém-te calmo, Scorpius. Eles podem ser cegos mas sentem o teu medo.

SCORPIUS *olha para* SNAPE.

SCORPIUS

Acabaram de lhes sugar as almas.

Um Dementor desce sobre eles e imobiliza-se em frente de SCORPIUS.

SNAPE

Pensa noutra coisa, Scorpius. Ocupa o teu pensamento.

SCORPIUS

Sinto frio. Não consigo ver. Há um nevoeiro dentro de mim, em volta de mim.

SNAPE

Tu és um rei e eu sou um professor. Eles só atacam se tiverem uma razão. Pensa naqueles que amas, pensa no motivo por que estás a fazer isto.

SCORPIUS

Estou a ouvir a minha mãe. Quer-me... quer a minha ajuda mas sabe que não a posso... ajudar.

SNAPE

Escuta-me, Scorpius. Pensa no Albus. Estás a abrir mão do teu reino pelo Albus, certo?

SCORPIUS *sente-se impotente. Atormentado por tudo o que os Dementors lhe fazem sentir.*

SNAPE

Uma pessoa. Basta uma pessoa. Eu não consegui salvar o Harry para a Lily. Por isso agora dou a minha lealdade à causa em que ela acreditava. E é possível que... ao longo do tempo eu tivesse começado a acreditar nela.

SCORPIUS *sorri a* SNAPE. *E afasta-se decididamente do Dementor.*

SCORPIUS

O mundo muda e nós mudamos com ele. Neste mundo a minha vida é bem melhor, mas o mundo não está melhor. E não quero isso.

De súbito, DOLORES UMBRIDGE *surge defronte deles.*

DOLORES UMBRIDGE

Professor Snape!

SNAPE

Professora Umbridge.

DOLORES UMBRIDGE

Já ouviu as notícias? Apanhámos aquela Sangue de Lama traidora da Hermione Granger. Estava mesmo ali.

SNAPE

Isso é... fantástico.

DOLORES *olha para* SNAPE. *Ele devolve-lhe o olhar.*

DOLORES UMBRIDGE

Consigo. A Granger estava consigo.

SNAPE

Comigo? Está enganada.

DOLORES UMBRIDGE

Consigo e com o Scorpius Malfoy. Um aluno que me anda a deixar cada vez mais preocupada.

SCORPIUS

Bem...

SNAPE

Dolores, estamos atrasados para a aula, por isso se me dá licença...

DOLORES UMBRIDGE

Se estão atrasados para a aula, por que razão não se dirigem para a escola? Porque vão a caminho do lago?

Há um momento de puro silêncio. E então SNAPE *faz uma coisa tremendamente invulgar: sorri.*

SNAPE

Há quanto tempo suspeitava?

DOLORES UMBRIDGE *ergue-se do solo. Estende os braços, cheia de Magia Negra. Puxa da varinha.*

DOLORES UMBRIDGE

Há anos. E devia ter agido muito mais cedo.

SNAPE *é mais rápido com a sua varinha.*

SNAPE

Depulso!

DOLORES *é impelida para trás pelo meio do ar.*

Foi sempre demasiado imponente para seu próprio bem. Agora já não podemos voltar atrás.

O céu fica ainda mais negro em redor deles.

Expecto Patronum!

SNAPE *lança um* Patronus, *cuja forma é a de uma linda corça branca.*

SCORPIUS
Uma corça? O *Patronus* da Lily.

SNAPE
É estranho, não é? O que nos vem cá de dentro.

Começam a surgir Dementors a toda a volta deles. SNAPE *sabe o que isto significa.*

Tens de fugir. Eu mantenho-os ao longe o máximo de tempo que puder.

SCORPIUS
Obrigado por ser a minha luz na escuridão.

SNAPE *olha para ele, um herói da cabeça aos pés, e sorri ao de leve.*

SNAPE
Diz ao Albus... diz ao Albus Severus... que me orgulho de ele ter o meu nome. Agora vai. Vai!

A corça olha para trás, para SCORPIUS, *e depois começa a correr.*
SCORPIUS *pensa e depois corre atrás dela e, à sua volta, o mundo fica mais assustador. De um dos lados ergue-se um grito de fazer gelar o sangue. Vê o lago e atira-se lá para dentro.*
SNAPE *prepara-se.*
SNAPE *é empurrado contra o solo e depois atirado ao alto enquanto a alma lhe é arrancada. E parece que os gritos se multiplicam.*
A corça vira-se para ele com os seus belos olhos e desaparece. Ouve-se um estrondo e vê-se um clarão. E depois silêncio. E o silêncio prolonga-se.

Está tudo tão imóvel, tão pacífico, tão perfeitamente tranquilo...
E então SCORPIUS *emerge à superfície. Respira fundo. Olha em seu redor. Respira fundo, em pânico. Olha para o céu.*
O céu parece certamente... mais azul que antes.
E então ALBUS *emerge a seguir a ele. Faz-se um silêncio.*
SCORPIUS *olha para* ALBUS, *sem querer acreditar. Ambos os rapazes inspiram e expiram.*

ALBUS
Ufa!

SCORPIUS
Albus!

ALBUS
Foi por pouco! Viste o homem-sereia? O tipo com o... e depois aquilo com o... ena!

SCORPIUS
És tu!

ALBUS
Mas foi bem esquisito... pensei que vi o Cedric começar a aumentar... mas depois começou assim tipo a encolher outra vez... e olhei para ti... e tu tinhas a varinha na mão...

SCORPIUS
Não fazes ideia de como é bom ver-te outra vez.

ALBUS
Acabaste de me ver há dois minutos.

SCORPIUS *abraça* ALBUS *dentro de água, uma tarefa difícil.*

SCORPIUS
Aconteceu muita coisa desde então.

ALBUS
Cuidado, estás a afogar-me. O que é que trazes vestido?

SCORPIUS

O que é que trago vestido? (*Tira o manto.*) E tu? Que trazes tu vestido? Boa! Estás nos Slytherin.

ALBUS

Deu resultado? Fizemos alguma coisa?

SCORPIUS

Não. E é magnífico.

ALBUS olha para ele sem acreditar.

ALBUS

O quê? Falhámos?

SCORPIUS

Sim. SIM. E É UM ESPANTO.

Esbraceja dentro de água. ALBUS sai e vai para a margem.

ALBUS

Scorpius, tens andado outra vez a comer demasiados doces?

SCORPIUS

Aí estás tu, vês, todo irónico, és mesmo tu... Adoro.

ALBUS

Agora estou a começar a ficar preocupado...

Entra HARRY e corre até à berma da água.
É rapidamente seguido por DRACO, GINNY e a PROFESSORA McGONAGALL.

HARRY

Albus. Albus. Estás bem?

SCORPIUS (*contentíssimo*)

Harry! É o Harry Potter! E a Ginny. E a Professora McGonagall. E o pai. O meu pai. Olá, pai.

DRACO

Olá, Scorpius.

ALBUS

Estão todos aqui.

GINNY

E a Murta contou-nos tudo.

ALBUS

Que se passa?

PROFESSORA McGONAGALL

Vocês é que acabaram de regressar do passado. Porque não nos contam?

SCORPIUS *percebe imediatamente o que os outros sabem.*

SCORPIUS

Oh, não! Que chatice! Onde é que está?

ALBUS

Acabámos de regressar de onde?

SCORPIUS

Perdi-o! Perdi o Vira-Tempo.

ALBUS (*olhando para* SCORPIUS, *profundamente aborrecido*)

Perdeste o quê?

HARRY

Chegou a altura de acabar com o fingimento, Albus.

PROFESSORA McGONAGALL

Acho que têm de nos dar umas explicaçõezinhas.

ATO TRÊS   CENA DEZ

HOGWARTS, GABINETE DA DIRETORA

DRACO, GINNY e HARRY *estão de pé, atrás de um* SCORPIUS *de aparência contrita e de* ALBUS. *A* PROFESSORA McGONAGALL *está furiosa.*

PROFESSORA McGONAGALL
Então, para ficar tudo bem claro... vocês saltaram do Expresso de Hogwarts ilegalmente, invadiram e roubaram o Ministério da Magia, decidiram alterar o tempo por vossa conta e risco, após o que fizeram desaparecer duas pessoas...

ALBUS
Concordo que não soa lá muito bem.

PROFESSORA McGONAGALL
E a vossa reação ao desaparecimento do Hugo e da Rose Granger-Weasley foi voltar de novo ao passado e... desta feita... em vez de perderem duas pessoas, perderam um número elevado de pessoas e mataram o teu pai... e, ao fazê-lo, ressuscitaram o pior feiticeiro que o mundo já conheceu e deram início a uma nova era de Magia Negra. (*Secamente.*) Tem toda a razão, Mr. Potter, não soa lá muito bem, pois não? Têm a noção de quão estúpidos foram?

SCORPIUS
Sim, Professora.

ALBUS *hesita por um momento. Olha para* HARRY.

ALBUS
Sim.

HARRY
Professora, se me permite...

PROFESSORA McGONAGALL
Não permito nada. Que tipo de pais escolheram ser é lá convosco, mas esta é a minha escola e estes são os meus alunos, e sou eu quem escolhe como irão ser punidos.

DRACO
Parece-me justo.

HARRY *olha para* GINNY, *que abana a cabeça.*

PROFESSORA McGONAGALL
Devia expulsar-vos mas (*com um olhar na direção de* HARRY), tendo em consideração todas as coisas, acho que é capaz de ser mais seguro que vocês fiquem sob a minha alçada. Estão detidos até... bom, considerem-se detidos até ao final do ano. O Natal está cancelado. Podem esquecer mais visitas a Hogsmeade. E isto é só o princípio...

De súbito, HERMIONE *irrompe na sala. Toda ela ação e determinação.*

HERMIONE
O que é que perdi?

PROFESSORA McGONAGALL (*furiosa*)
É considerado de boa educação bater à porta ao entrar numa sala, Hermione Granger, talvez te tenha escapado isso.

HERMIONE (*apercebe-se de que se excedeu*)
Ah.

PROFESSORA McGONAGALL
Se eu também pudesse pô-la de castigo, Ministra, fá-lo-ia. Na posse de um Vira-Tempo, que coisa mais estúpida!

HERMIONE
Em minha defesa...

PROFESSORA McGONAGALL
E numa estante. Guardou-o numa estante. É quase risível.

HERMIONE
Minerva. (*Inspira.*) Professora McGonagall...

PROFESSORA McGONAGALL
Os teus filhos não existiam!

HERMIONE *não tem resposta para isso.*

Isto aconteceu na minha escola, sob a minha direção. Depois de tudo o que o Dumbledore fez, eu não conseguiria viver com isso...

HERMIONE
Eu sei.

A **PROFESSORA McGONAGALL** *acalma-se por um momento.*

PROFESSORA McGONAGALL
A vossa intenção de salvar o Cedric é louvável, embora insensata. E parece que foste corajoso, Scorpius, e tu também, Albus, mas a lição que até o teu pai às vezes não conseguiu acatar é que a coragem não perdoa a estupidez. Pensa sempre. Pensa no que seria. Um mundo controlado pelo Voldemort é...

SCORPIUS
Um mundo horrendo.

PROFESSORA McGONAGALL
Vocês são tão jovens. (*Olha para* HARRY, DRACO, GINNY *e* HERMIONE.) São todos tão jovens. Não fazem ideia de

quão negras foram as guerras dos feiticeiros. Vocês foram...
imprudentes... com um mundo pelo qual alguns — alguns
dos meus mais queridos amigos e também vossos — se
sacrificaram e muito para criar e conservar.

ALBUS

Sim, Professora.

SCORPIUS

Sim, Professora.

PROFESSORA McGONAGALL

Vão lá. Vão-se embora. Todos vocês. E encontrem-me esse
Vira-Tempo.

ATO TRÊS CENA ONZE

HOGWARTS, DORMITÓRIO DOS SLYTHERIN

ALBUS *está sentado no dormitório.* HARRY *entra e olha para o filho, irado, mas cauteloso para não o deixar transparecer.*

HARRY
Obrigado por me deixares vir cá acima.

ALBUS *volta-se e faz um aceno de cabeça ao pai. Também ele cauteloso.*

Por agora, ainda não tivemos nenhuma sorte em encontrar o Vira-Tempo. Estão a negociar com o Povo das Sereias para dragar o lago.

Senta-se, constrangido.

É um bom quarto.

ALBUS
O verde acalma, não é? Quero dizer, os quartos dos Gryffindor são bons e tudo, mas o problema com o encarnado é que... diz-se que nos põe um bocado malucos... não que esteja a ser má-língua...

HARRY
És capaz de me explicar por que motivo tentaste fazer isto?

ALBUS

Pensei que podia... mudar as coisas... pensei que a questão do Cedric... é uma injustiça.

HARRY

Claro que é uma injustiça, Albus, achas que não sei isso? Eu estava lá. Eu vi-o morrer. Mas fazer isto... arriscar tudo...

ALBUS

Eu sei.

HARRY (*não conseguindo conter a ira*)

Se estavas a tentar fazer como eu, fizeste-o da maneira errada. Eu não me voluntariei para aventuras, fui obrigado a meter-me nelas. Tu fizeste algo verdadeiramente temerário, algo realmente estúpido e perigoso, algo que poderia ter destruído tudo...

ALBUS

Eu sei. OK, eu sei.

> *Pausa.* ALBUS *limpa uma lágrima,* HARRY *apercebe-se disso e inspira. Consegue conter-se e acalmar-se.*

HARRY

Bom, eu também estava enganado... pensei que o Scorpius era filho do Voldemort. Não era ele a nuvem negra.

ALBUS

Pois não.

HARRY

E eu guardei o mapa a sete chaves. Nunca mais o vês. A mãe manteve o quarto exatamente como estava quando fugiste... sabias? Não me deixava lá entrar... não deixava ninguém entrar... pregaste-lhe um grande susto... e a mim.

ALBUS

Assustei-vos a sério?

HARRY

Sim.

ALBUS

Eu pensava que o Harry Potter não tinha medo de nada.

HARRY

Foi essa a ideia que te passei?

ALBUS *olha para o pai, tentando percebê-lo.*

ALBUS

Não sei o que o Scorpius disse, mas, quando nós voltámos depois de não termos conseguido emendar a primeira tarefa, de repente eu estava nos Gryffindor, e as coisas não tinham melhorado entre nós os dois, portanto o facto de eu pertencer aos Slytherin não é a razão dos nossos problemas. Não tem que ver com isso.

HARRY

Não, eu sei. Não tem que ver com isso.

HARRY *olha para* ALBUS.

Estás OK, Albus?

ALBUS

Não.

HARRY

Não. Nem eu.

ATO TRÊS CENA DOZE

SONHO, GODRIC'S HOLLOW, CEMITÉRIO

O JOVEM HARRY *está de pé junto a uma lápide coberta de flores.*
Tem um pequeno ramo de flores na mão.

TIA PETUNIA

Vá lá, então. Põe lá a porcaria das flores e depois vamos
embora. Eu já detesto esta aldeia asquerosa, nem sei porque
tive tal ideia... Godric's Hollow, mais parece um buraco de
ímpios, este lugar é mesmo um ninho de imundice... vá,
vá, toca a despachar.

O JOVEM HARRY *aproxima-se da sepultura. Demora-se mais*
um instante.

Vamos, Harry... eu não tenho tempo para isto. O Duddy
tem clube hoje à noite e bem sabes que não gosta de chegar
atrasado.

JOVEM HARRY

Tia Petunia. Nós somos os últimos familiares deles ainda
vivos, não somos?

TIA PETUNIA

Somos. Eu e tu. Somos.

JOVEM HARRY

E... as pessoas não gostavam deles? A tia disse que eles não tinham amigos.

TIA PETUNIA

A Lily bem tentou... coitada... ela bem tentou, não era culpa dela, mas afastava as pessoas... era da sua natureza. Era a intensidade, era a... maneira dela, ela era assim. E o teu pai, um homem odioso, muitíssimo odioso. Sem amigos. Nem um nem outro.

JOVEM HARRY

Então a minha pergunta é... porque é que há tantas flores? Por que razão é que têm tantas flores na campa?

A TIA PETUNIA olha em volta, vê todas as flores como se fosse a primeira vez e emociona-se profundamente. Aproxima-se e senta-se junto à campa da irmã, tentando combater as emoções que a assaltam, mas sucumbindo-lhes ainda assim.

TIA PETUNIA

Oh, sim. Bom, parece que há... umas poucas. Devem ter voado das outras campas. Ou uma partida de alguém. Sim, é o mais provável, algum jovem patife sem nada que fazer deve ter andado a recolher as flores de todas as outras campas e depositou-as aqui...

JOVEM HARRY

Mas estão todas identificadas com os nomes deles... Lily e James, o que fizeram, nunca esqueceremos... Lily e James, o vosso sacrifício...

VOLDEMORT

Cheira a culpa, há um fedor a culpa no ar.

TIA PETUNIA (*para o* JOVEM HARRY)

Sai. Sai daí.

Puxa-o para trás. A mão de VOLDEMORT *ergue-se no ar sobre a campa dos Potters e em seguida ergue-se o resto. Não lhe vemos o rosto mas o corpo tem uma forma imperfeita horrífica.*

Eu sabia. Este sítio é perigoso. Quanto mais cedo sairmos de Godric's Hollow melhor.

O JOVEM HARRY *é puxado através da cena, mas vira a cara para ver* VOLDEMORT *de frente.*

VOLDEMORT

Ainda continuas a ver com os meus olhos, Harry Potter?

O JOVEM HARRY *sai perturbado enquanto* ALBUS *emerge de repente de dentro do manto de* VOLDEMORT. *Estende uma mão desesperada para o pai.*

ALBUS

Pai... pai...

Ouvem-se algumas palavras em serpentês.
Ele está a chegar. Ele está a chegar. Ele está a chegar.
E então um grito.
E depois, do fundo de cena, sussurros em volta de todos.
Palavras proferidas por uma voz inconfundível. A voz de
VOLDEMORT...
Haaarry Potttter...

ATO TRÊS CENA TREZE

CASA DE HARRY E GINNY POTTER, COZINHA

HARRY *está num estado lastimável. Apavorado por aquilo que pensa que os seus sonhos lhe estão a dizer.*

GINNY

Harry? Harry? O que foi? Estavas a gritar...

HARRY

Não terminaram. Os sonhos.

GINNY

Não seria provável que acabassem de imediato. Tem sido uma altura muito tensa e...

HARRY

Mas eu nunca estive em Godric's Hollow com a Petunia. Isto não...

GINNY

Harry, estás a assustar-me a sério.

HARRY

Ele ainda cá está, Ginny.

GINNY

Quem é que está aqui?

HARRY

O Voldemort. Eu vi o Voldemort com o Albus.

GINNY

Com o Albus...?

HARRY

Ele disse, o Voldemort disse: «Cheira a culpa, há um fedor a culpa no ar.» Estava a falar comigo.

HARRY *olha para ela. Toca na cicatriz. O rosto dela aflige-se.*

GINNY

Harry, o Albus corre perigo?

O rosto de HARRY *empalidece.*

HARRY

Acho que corremos todos.

ATO TRÊS CENA CATORZE

HOGWARTS, DORMITÓRIO DOS SLYTHERIN

SCORPIUS *curva-se sobre a cabeceira de* ALBUS *sinistramente.*

SCORPIUS
Albus... Psst... Albus.

ALBUS *não acorda.*

ALBUS!

ALBUS *acorda com um sobressalto.* SCORPIUS *ri-se.*

ALBUS
Que agradável! Uma maneira agradável e nada assustadora de acordar.

SCORPIUS
Sabes que é uma coisa estranhíssima, mas desde que estive nos sítios mais assustadores que se possa imaginar, estou a ficar muito bom a lidar com o medo. Sou... Scorpius, o Sem-Pavor. Sou... Malfoy, o Inansioso.

ALBUS
Ótimo.

SCORPIUS
Quero dizer, normalmente estar aqui preso, sempre de castigo, dava cabo de mim, mas agora... qual é o pior que

me podem fazer? Ir buscar o Voldy Bafiento e mandá-lo torturar-me? Nem pensar...

ALBUS

Tu és assustador quando estás bem-disposto, sabias?

SCORPIUS

Quando a Rose veio ter comigo hoje na aula de Poções e me chamou Unhas de Fome, quase lhe dei um abraço. Não, não há nenhum quase, tentei de facto abraçá-la e depois ela deu-me uma canelada.

ALBUS

Acho que não teres medo não te vai fazer bem nenhum à saúde.

> SCORPIUS *olha para* ALBUS; *o seu rosto torna-se mais pensativo.*

SCORPIUS

Tu não sabes como é bom estar de volta aqui, Albus. Eu detestava aquilo.

ALBUS

Exceto a parte em que a Polly Chapman te fazia olhinhos.

SCORPIUS

O Cedric era uma pessoa completamente diferente, sombrio, perigoso. O meu pai fazia tudo quanto lhe mandavam. E eu? Eu descobri um outro Scorpius, sabes? Cheio de direitos, zangado, mau — as pessoas tinham medo de mim. Parece que todos fomos testados e... todos chumbámos.

ALBUS

Mas tu mudaste coisas. Tiveste uma oportunidade e mudaste o tempo. Mudaste-te a ti próprio.

SCORPIUS

Apenas porque sabia o que devia ser.

> ALBUS *digere estas palavras.*

ALBUS

Achas que eu também fui testado? Fui, não fui?

SCORPIUS

Não. Ainda não.

ALBUS

Estás enganado. A estupidez não foi voltar atrás uma vez... esse erro toda a gente pode cometer, a estupidez foi ser arrogante ao ponto de voltar uma segunda vez.

SCORPIUS

Ambos voltámos atrás, Albus.

ALBUS

E porque é que eu estava tão determinado a fazer isto? Pelo Cedric? A sério? Não. Eu tinha de provar qualquer coisa. O meu pai tem razão, ele não se voluntariou para a aventura; agora eu, isto foi culpa minha... e se não fosses tu, tudo poderia ter-se tornado Negro.

SCORPIUS

Mas não se tornou. E tens de estar agradecido por isso, tanto como eu. Quando os Dementors entraram... na minha cabeça... o Severus Snape disse-me para eu pensar em ti. Podes não ter estado lá, Albus, mas estavas a lutar... a lutar ao meu lado.

ALBUS *anui. Emocionado por aquilo.*

E a ideia de salvar o Cedric não foi assim tão má... pelo menos na minha cabeça... embora saibas bem que... não podemos voltar a tentar.

ALBUS

Sim, eu sei. Sei muito bem.

SCORPIUS

Bem. Então podes ajudar-me a destruir isto.

SCORPIUS *mostra o Vira-Tempo a* ALBUS.

ALBUS

Tenho quase a certeza de que disseste a toda a gente que estava no fundo de um lago.

SCORPIUS

Acontece que Malfoy, o Inansioso, é muito bom mentiroso.

ALBUS

Scorpius, devíamos contar a alguém...

SCORPIUS

A quem? O Ministério guardava-o dantes, achas que não vão querer guardá-lo outra vez? Só eu e tu sabemos por experiência como é perigoso, portanto somos nós que temos de o destruir. Ninguém pode fazer o que nós fizemos, Albus. Ninguém. Não, (num tom ligeiramente pomposo) está na altura em que virar-tempo se torna uma coisa do passado.

ALBUS

E estás muito orgulhoso dessa expressão, não estás?

SCORPIUS

Tenho andado a aperfeiçoá-la o dia todo.

ATO TRÊS CENA QUINZE

HOGWARTS, DORMITÓRIO DOS SLYTHERIN

HARRY e GINNY *atravessam rapidamente o dormitório*. CRAIG
BOWKER JR. *segue-os*.

CRAIG BOWKER JR.
Querem que repita? Isto é contra as regras e estamos a meio
da noite.

HARRY
Tenho de encontrar o meu filho.

CRAIG BOWKER JR.
Sei quem o senhor é, Mr. Potter, mas até o senhor tem de
compreender que é contra as convenções da escola os pais
ou os professores entrarem nas instalações de uma equipa
sem permissão expressa de...

A PROFESSORA McGONAGALL *precipita-se atrás deles*.

PROFESSORA McGONAGALL
Por favor, não sejas cansativo, Craig.

HARRY
Recebeu a nossa mensagem? Ótimo.

CRAIG BOWKER JR. *(chocado)*
Diretora, eu estou... estava só...

HARRY *afasta as cortinas de uma cama.*

PROFESSORA McGONAGALL
Ele não está aí?

HARRY
Não.

PROFESSORA McGONAGALL
E o jovem Malfoy?

GINNY *abre outra cortina.*

GINNY
Oh, não.

PROFESSORA McGONAGALL
Então, vamos virar esta escola de pernas para o ar. Craig, temos trabalho para fazer...

GINNY *e* HARRY *ficam a olhar para a cama.*

GINNY
Isto não aconteceu já?

HARRY
Desta vez parece que ainda é pior.

GINNY *olha para o marido, cheia de medo.*

GINNY
Estiveste a falar com ele?

HARRY
Sim.

GINNY
Vieste ao dormitório e falaste com ele?

HARRY
Sabes bem que sim.

GINNY

O que é que disseste ao nosso filho, Harry?

HARRY *ouve a acusação na voz dela.*

HARRY

Tentei ser honesto com ele... Não lhe disse nada.

GINNY

E controlaste-te? A conversa ficou muito acesa?

HARRY

... Acho que não... achas que o fiz fugir outra vez?

GINNY

Posso perdoar-te um erro, Harry, talvez até mesmo dois, mas quantos mais erros, mais difícil se torna perdoar-te.

ATO TRÊS CENA DEZASSEIS

HOGWARTS, TORRE DAS CORUJAS

SCORPIUS *e* ALBUS *surgem num telhado banhado em luz prateada. Em redor deles ouvem-se pios baixos.*

SCORPIUS

Bom, acho que basta um simples *Confringo.*

ALBUS

Nem pensar. Para uma coisa destas precisas de um *Expulso.*

SCORPIUS

Um *Expulso?* Com um *Expulso* vamos andar a limpar pedaços de Vira-Tempo desta torre durante dias.

ALBUS

Um *Bombarda?*

SCORPIUS

E acordamos toda a gente em Hogwarts? Talvez o Feitiço de Atordoar. Originalmente foram destruídos com um...

ALBUS

Exatamente, já foi feito... vamos fazer uma coisa nova, uma coisa divertida.

SCORPIUS

Divertida? Escuta, muitos feiticeiros não prestam atenção à importância de escolher o feitiço certo, mas isto é mesmo importante. Acho que é um aspeto muito subestimado da feitiçaria moderna.

DELPHI

«Um aspeto muito subestimado da feitiçaria moderna.» Vocês os dois são os maiores, sabiam?

SCORPIUS *ergue o olhar, surpreendido ao ver que* DELPHI *surgiu atrás deles.*

SCORPIUS

Uau. Estás... hã... o que estás aqui a fazer?

ALBUS

Achei importante mandar-lhe uma coruja... dizer-lhe o que estamos a fazer... percebes?

SCORPIUS *olha para o amigo acusadoramente.*

Isto também lhe diz respeito.

SCORPIUS *pensa e depois concorda com um gesto de cabeça.*

DELPHI

O que é que me diz respeito? De que se trata?

ALBUS *tira o Vira-Tempo.*

ALBUS

Temos de destruir o Vira-Tempo. As coisas que o Scorpius viu depois da segunda tarefa... Desculpa. Não podemos arriscar voltar de novo ao passado. Não podemos salvar o teu primo.

DELPHI *olha para o Vira-Tempo e de novo para eles.*

DELPHI

A tua coruja dizia tão pouco...

ALBUS

Imagina o pior mundo possível e duplica-o e depois duplica-o outra vez. Pessoas a serem torturadas... Dementors por todo o lado... um Voldemort despótico... o meu pai morto, eu sem ter nascido, o mundo rodeado de Magia Negra. Nós... nós simplesmente não podemos deixar isso acontecer.

DELPHI *hesita e depois o seu rosto transforma-se.*

DELPHI

O Voldemort estava no poder? Estava vivo?

SCORPIUS

Mandava em tudo. Era horrível.

DELPHI

Por causa do que nós fizemos?

SCORPIUS

Humilhar o Cedric fez dele um jovem cheio de raiva e depois transformou-se num Devorador da Morte... e... ficou tudo mal. Mesmo muito mal.

DELPHI *observa o rosto de* **SCORPIUS** *cuidadosamente e depois mostra-se aflita.*

DELPHI

Um Devorador da Morte?

SCORPIUS

E num assassino. Matou o Professor Longbottom.

DELPHI

Então... é claro que temos de o destruir.

ALBUS

Compreendes?

DELPHI

Vou mais longe que isso. Digo que o Cedric teria com-
preendido. Vamos destruí-lo juntos e depois vamos ter
com o meu tio. Explicar-lhe a situação.

ALBUS

Obrigado.

DELPHI *sorri-lhes tristemente e depois pega no Vira-Tempo.
Olha para ele e a sua expressão muda ligeiramente.*

Oh, que marca fixe.

DELPHI

O quê?

O manto de DELPHI *abriu-se. Fica visível a tatuagem de um
Áugure na nuca dela.*

ALBUS

Na tua nuca. Não tinha reparado. As asas. É a isso que os
Muggles chamam tatuagem?

DELPHI

Oh, sim. Bem, é um Áugure.

SCORPIUS

Um Áugure?

DELPHI

Não os viram em Cuidados com as Criaturas Mágicas? São
uns pássaros pretos de ar sinistro que gritam quando vai
chover. Os feiticeiros acreditavam que o grito do Áugure
anunciava a morte. Quando eu era miúda, a minha guardiã
tinha um numa gaiola.

SCORPIUS

A tua... guardiã?

DELPHI *olha para* SCORPIUS. *Agora que tem o Vira-Tempo
está a gostar deste jogo.*

DELPHI

Ela costumava dizer que o pássaro gritava porque conseguia ver que eu ia acabar mal. Não gostava lá muito de mim. A Euphemia Rowle... só me aceitou por causa do ouro.

ALBUS

Então, porque é que havias de querer uma tatuagem do pássaro dela?

DELPHI

Recorda-me que sou dona do meu futuro.

ALBUS

Fixe. Talvez eu também faça uma tatuagem de um Áugure.

SCORPIUS

Os Rowles eram Devoradores da Morte muito radicais.

Mil pensamentos volteiam na cabeça de SCORPIUS.

ALBUS

Vá lá, vamos lá a destruir isto... *Confringo?* Atordoar? *Bombarda?* Qual é que tu usavas?

SCORPIUS

Dá-mo cá. Devolve-nos o Vira-Tempo.

DELPHI

O quê?

ALBUS

Scorpius? O que é que estás a fazer?

SCORPIUS

Não acredito que tenhas estado doente. Não vieste para Hogwarts porquê? E estás aqui agora porquê?

DELPHI

Estou a tentar trazer o meu primo de volta!

SCORPIUS

Chamaram-te Áugure. No... naquele outro mundo... chamaram-te Áugure.

Um sorriso lento esboça-se no rosto de DELPHI.

DELPHI
Áugure? Até gosto.

ALBUS
Delphi?

Ela é demasiado rápida. Apontando a varinha, repele SCOR-
PIUS. *E é muito mais forte que ele.* SCORPIUS *tenta mantê-la
afastada, mas ela domina-o rapidamente.*

DELPHI
Fulgari!

Os braços de SCORPIUS *ficam atados com umas cordas lumi-
nosas e malignas.*

SCORPIUS
Albus! Foge.

ALBUS *olha em seu redor, desorientado. E depois começa a
correr.*

DELPHI
Fulgari!

ALBUS *é atirado ao chão, as mãos atadas com as mesmas
cordas brutais.*

E este foi o primeiro feitiço que tive de usar contra vocês.
Pensei que teria de usar muitos mais. Mas vocês são muito
mais fáceis de controlar que o Amos. As crianças, em
especial os rapazes, são tão naturalmente manobráveis, não
são? Agora, vamos lá resolver esta trapalhada de uma vez
por todas...

ALBUS
Mas porquê? O quê? Mas quem és tu?

DELPHI
Albus, eu sou o novo passado.

Tira a varinha a ALBUS *e parte-a.*

Sou o novo futuro.

Tira a varinha a SCORPIUS *e parte-a.*

Sou a resposta de que este mundo tem estado à espera.

ATO TRÊS CENA DEZASSETE

MINISTÉRIO DA MAGIA, GABINETE DE HERMIONE

RON *está sentado à secretária de* HERMIONE *a comer papas de aveia.*

RON

Não consigo bem refazer-me disto. Do facto de em algumas realidades nós nem sequer sermos, sabes, casados.

HERMIONE

Ron, o que quer que isto seja, tenho dez minutos até chegarem os goblins para discutir a segurança em Gringotts...

RON

Quero dizer, estamos juntos há tanto tempo... e casados há tanto tempo... quero dizer, tanto tempo...

HERMIONE

Se essa é a tua forma de dizeres que queres um intervalo matrimonial, Ron, então, para ser direta, eu espeto-te com esta pena.

RON

Cala-te. Calas-te de uma vez por todas? Quero fazer uma daquelas coisas que li sobre renovação do casamento. Uma renovação dos votos. Que achas?

HERMIONE (*amolecendo levemente*)

Queres casar comigo outra vez?

RON

Bem, éramos muito novos quando o fizemos da primeira vez e eu estava bastante bêbedo e... bem, para ser honesto, não me lembro de grande parte e... a verdade é que... eu amo-te, Hermione Granger... e aconteça o que acontecer, quero a oportunidade de o dizer em frente de uma data de pessoas. Outra vez. Sóbrio.

Ela olha para ele, sorri, puxa-o para si, beija-o.

HERMIONE

És um querido.

RON

E tu sabes a caramelo.

HERMIONE *ri-se.* HARRY, GINNY *e* DRACO *entram quando eles se preparam para se beijarem de novo. Os dois afastam-se com um salto.*

HERMIONE

Harry, Ginny e... eu... hã... Draco, é bom ver-te...

HARRY

Os sonhos. Recomeçaram, bem, nunca pararam.

GINNY

E o Albus desapareceu. Outra vez.

DRACO

O Scorpius também. Mandámos a McGonagall verificar a escola toda. Desapareceram.

HERMIONE

Vou mandar chamar os Aurors imediatamente, vou...

RON

Não, não vais nada. Vi o Albus ontem à noite. Está tudo bem.

DRACO

Onde?

Viram-se todos para olhar para RON. *Ele fica momentanea-mente desconcertado, mas aguenta-se.*

RON

Fui tomar uns Uísques de Fogo com o Neville em Hogs-meade... como é costume, pôr a conversa em dia, como costumamos fazer, e estávamos a vir embora... bastante tarde, muito tarde, e estava a tentar decidir qual Floo devia usar porque às vezes, quando bebemos umas coisas, não queremos usar as lareiras apertadas... ou as que dão curvas ou...

GINNY

Ron, consegues chegar ao que interessa antes de te estran-gularmos?

RON

Ele não fugiu. Estava a passar uns momentos agradáveis... arranjou uma namorada mais velha...

HARRY

Uma namorada mais velha?

RON

E já agora bem interessante... com um cabelo prateado lindíssimo. Vi-os juntos no telhado, perto da Torre das Corujas, com o Scorpius a fazer de pau de cabeleira. Pen-sei que era bom ver a minha poção de amor a ser bem usada.

HARRY *pensa numa coisa.*

HARRY

O cabelo dela... era prateado e azul?

RON

É isso... prateado, azul... sim.

HARRY

Ele está a falar da Delphi Diggory, a sobrinha do Amos Diggory.

GINNY

Isto é outra vez sobre o Cedric?

> HARRY *não diz nada, a pensar rapidamente.* HERMIONE *olha em volta da sala, preocupada, e depois grita pela porta.*

HERMIONE

Ethel, cancela os goblins.

ATO TRÊS CENA DEZOITO

LAR DE ST. OSWALD PARA FEITICEIRAS E FEITICEIROS IDOSOS, QUARTO DE AMOS

HARRY *entra com* DRACO, *a varinha em riste.*

HARRY
Onde estão eles?

AMOS
Harry Potter, o que posso fazer por si, senhor? E o Draco Malfoy. Sou um abençoado.

HARRY
Sei como é que tem usado o meu filho.

AMOS
Eu usei o seu filho? Não, o senhor é que usou o meu belo filho.

DRACO
Diga-nos... já... onde estão o Albus e o Scorpius ou enfrente as piores consequências.

AMOS
Mas porque haveria eu de saber onde eles estão?

DRACO
Não se faça de senil connosco, velho. Sabemos que lhes tem enviado corujas.

AMOS

Não fiz nada disso.

HARRY

Amos, você não é demasiado velho para Azkaban. Quando desapareceram, foram vistos pela última vez na torre de Hogwarts com a sua sobrinha.

AMOS

Não faço ideia de quem... *(Cala-se durante um bocado, confuso.)* A minha sobrinha?

HARRY

Não há limites para si, pois não? Sim, a sua sobrinha, nega que ela estava lá sob as suas instruções específicas...

AMOS

Sim, nego... Não tenho nenhuma sobrinha.

Isto faz com que HARRY *se cale.*

DRACO

Tem, sim senhor. Uma enfermeira, trabalha aqui. A sua sobrinha... a Delphini Diggory.

AMOS

Sei que não tenho sobrinha nenhuma porque nunca tive irmãos nem irmãs. E a minha mulher também não.

DRACO

Temos de descobrir quem ela é... *imediatamente.*

ATO TRÊS CENA DEZANOVE

HOGWARTS, CAMPO DE QUIDDITCH

A cena abre com DELPHI, *gozando todos os momentos da sua nova identidade. Onde existia desconforto e insegurança, existe agora apenas poder.*

ALBUS

Que fazemos nós no campo de Quidditch?

DELPHI *nada diz.*

SCORPIUS

O Torneio dos Três Feiticeiros. A terceira tarefa. O labirinto. O labirinto era aqui. Vamos voltar para ir buscar o Cedric.

DELPHI

Está na altura de matar o que está a mais, de uma vez por todas. Voltamos para ir buscar o Cedric e, ao fazê-lo, ressuscitamos o mundo que viste, Scorpius...

SCORPIUS

O inferno. Queres ressuscitar o inferno?

DELPHI

Quero o regresso da magia forte e pura. Quero o renascimento das Trevas.

SCORPIUS

Queres que o Voldemort regresse?

DELPHI

O único verdadeiro governante do mundo da feitiçaria. Ele há de voltar. Agora que vocês fizeram com que as duas primeiras tarefas estejam um pouco entupidas de magia... há pelo menos duas visitas do futuro em ambas e não vou arriscar ser descoberta ou ser distraída. A terceira está limpa, portanto comecemos por aí!

ALBUS

Nós não o vamos impedir... o que quer que seja que nos obrigues a fazer... sabemos que ele precisa de ganhar o torneio com o meu pai.

DELPHI

Não quero apenas que o impeçam. Quero que o humilhem. Ele tem de sair do labirinto a voar nu numa vassoura feita de espanadores de penas púrpura. A humilhação funcionou da outra vez e vai levar-nos lá de novo. E a profecia será cumprida.

SCORPIUS

Não sabia que havia uma profecia... que profecia?

DELPHI

Tu viste o mundo como ele devia ser, Scorpius, e hoje vamos fazer com que esse mundo regresse.

ALBUS

Não, não vamos. Não vamos obedecer-te. Quem quer que tu sejas. O que quer que queiras que façamos.

DELPHI

Claro que vão fazer.

ALBUS

Terás de usar *Imperio*. Terás de me controlar.

DELPHI

Não. Para cumprir a profecia, terás de ser tu próprio a fazê--lo... e não uma marioneta... terás de ser tu a humilhar o Cedric, portanto *Imperio* não basta: vou ter de te obrigar de outras formas.

Puxa da varinha. Aponta-a a ALBUS, *que espeta o queixo.*

ALBUS

Faz o pior de que és capaz.

DELPHI *olha para ele. E depois vira a varinha na direção de* SCORPIUS.

DELPHI

Assim farei.

ALBUS

Não!

DELPHI

Sim, tal como eu tinha pensado, isto parece assustar-te mais.

SCORPIUS

Albus, o que quer que ela me faça... não podemos permitir--lhe que...

DELPHI

Crucio!

SCORPIUS *grita de dor.*

ALBUS

Eu vou...

DELPHI (*rindo-se*)

Fazer o quê? Mas o que é que achas que podes fazer? Tu, uma desilusão da feitiçaria? Uma nódoa da família? Um que está a mais? Queres que deixe de magoar o teu único amigo? Então faz o que te mandam.

Ela olha para ALBUS. *Ele resiste-lhe com o olhar.*

Não? *Crucio!*

ALBUS

Para! Por favor.

CRAIG *entra a correr, cheio de energia.*

CRAIG BOWKER JR.

Scorpius? Albus? Anda toda a gente à vossa procura...

ALBUS

Craig! Foge. Vai buscar ajuda!

CRAIG BOWKER JR.

O que se passa?

DELPHI

Avada Kedavra!

DELPHI *lança uma explosão de luz verde que atravessa a cena.* CRAIG *é atirado para trás — e morre de imediato. Silêncio. Um silêncio que parece perdurar durante muito tempo.*

Não entendeste? Isto não são joguinhos de crianças. Tu és-me útil, os teus amigos não.

ALBUS *e* SCORPIUS *olham para o corpo de* CRAIG *— as mentes num desatino.*

Levei muito tempo a descobrir a tua fraqueza, Albus Potter. Pensei que fosse o orgulho, pensei que fosse a necessidade de impressionar o teu pai, mas depois percebi que é a mesma que a do teu pai: a amizade. Vais fazer exatamente como te digo ou o Scorpius morre, tal como o que estava *a mais.*

Ela olha-os a ambos.

O Voldemort voltará e o Áugure sentar-se-á a seu lado. Tal como foi profetizado. «Quando os que estão a mais são poupados, quando o tempo é virado, quando filhos incompreendidos assassinam os seus pais: então, regressará o Senhor das Trevas.»

Ela sorri. Puxa SCORPIUS *para si malevolamente.*

O Cedric é o que está a mais, e o Albus...

Puxa ALBUS *para si malevolamente.*

... é o filho invisível que há de assassinar o pai ao reescrever o tempo e assim fazer regressar o Senhor das Trevas.

O Vira-Tempo começa a girar. Ela puxa as mãos deles para o Vira-Tempo.

Agora!

E dá-se uma enorme explosão de luz. Um ruído estrondoso.
E o tempo para. E depois vira, pensa um pouco e
começa a rolar para trás, devagar ao princípio...
E depois acelera.
E depois um ruído de sucção. E um estampido.

ATO TRÊS CENA VINTE

TORNEIO DOS TRÊS FEITICEIROS, LABIRINTO, 1995

O labirinto é uma espiral de sebes sempre em movimento. DELPHI
caminha através delas resolutamente. Arrasta atrás dela ALBUS *e*
SCORPIUS. *De braços presos, as pernas movendo-se com relutância.*

LUDO BAGMAN
Minhas senhoras e meus senhores, meninos e meninas,
eis o maior... o fabuloso... o único TORNEIO DOS TRÊS
FEITICEIROS!

Ouvem-se vivas ruidosos. DELPHI *vira à esquerda.*

Se sois de Hogwarts, dai-me um viva.

Ouvem-se vivas ruidosos.

Se sois de Durmstrang, dai-me um viva.

Ouvem-se vivas ruidosos.

E SE SOIS DE BEAUXBATONS DAI-ME UM VIVA.

Ouve-se um viva efusivo.
DELPHI *e os rapazes são obrigados a avançar enquanto uma
sebe se fecha em redor deles.*

As francesas finalmente a mostrar do que são capazes. Senhoras e senhores, apresento-vos... a última das tarefas dos Três Feiticeiros. Um labirinto de mistérios, uma maleita de escuridão incontrolável, pois este labirinto... está vivo. Está vivo.

VIKTOR KRUM *atravessa a cena, avançando pelo labirinto.*

E porquê correr o risco de atravessar este verdadeiro pesadelo? Porque no seu interior existe uma Taça... não uma Taça qualquer... sim, o troféu dos Três Feiticeiros encontra-se dentro desta vegetação.

DELPHI
Onde é que ele está? Onde está o Cedric?

Uma sebe quase disseca ALBUS *e* SCORPIUS.

SCORPIUS
As sebes também nos querem matar? Isto está a ficar cada vez melhor.

DELPHI
Ou acompanham o ritmo ou sofrem as consequências.

LUDO BAGMAN
Os perigos são muitos, mas os prémios são óbvios. Quem conseguirá lutar até ao fim? Quem cairá no último obstáculo? Que heróis temos no meio de nós? Só o tempo o dirá, senhoras e senhores. Só o tempo o dirá.

Eles avançam pelo labirinto, SCORPIUS *e* ALBUS *compelidos por* DELPHI. *Dado que ela vai adiante, os rapazes têm oportunidade de trocar umas palavras.*

SCORPIUS
Albus, temos de fazer alguma coisa.

ALBUS

Eu sei, mas o quê? Ela tirou-nos as varinhas, estamos amarrados e ela ameaça matar-nos.

SCORPIUS

Eu estou pronto a morrer se isso impedir o regresso do Voldemort.

ALBUS

Estás?

SCORPIUS

Não vais ter muito tempo para sentir a minha falta; ela mata-me e a seguir mata-te a ti também.

ALBUS (*desesperado*)

O defeito do Vira-Tempo, aquela coisa dos cinco minutos. Temos de fazer tudo o que pudermos para aproveitar esse tempo.

SCORPIUS

Não vai dar resultado.

> *Enquanto outra sebe muda de direção,* DELPHI *puxa* ALBUS *e* SCORPIUS, *obrigando-os a seguirem na sua peugada. Eles continuam a avançar por aquele labirinto de desespero.*

LUDO BAGMAN

Deixai-me agora recordar-vos as posições neste momento! Empatados em primeiro lugar... Mr. Cedric Diggory e Mr. Harry Potter. Em segundo lugar... Mr. Viktor Krum! E em terceiro lugar... *sacré bleu*[6], Miss Fleur Delacour.

> *De súbito,* ALBUS *e* SCORPIUS *emergem por trás do labirinto, a correr.*

ALBUS

Onde é que ela se meteu?

---

[6] Em francês no original. Caramba. (*NT*)

SCORPIUS

Que interessa? O que é que achas, por onde vamos?

DELPHI *ergue-se atrás deles. Está a voar e sem vassoura.*

DELPHI

Pobres criaturas.

Atira com os rapazes ao chão.

A pensarem que podem fugir de mim.

ALBUS *(espantado)*

Nem sequer estás... numa vassoura.

DELPHI

Vassouras... que objetos mais pesados e mais desnecessários. Passaram três minutos. Temos dois minutos. E vocês vão fazer o que vos disser.

SCORPIUS

Não vamos, não.

DELPHI

Pensam que podem lutar comigo?

SCORPIUS

Não. Mas podemos desafiar-te. Se dermos a vida por isso.

DELPHI

A profecia tem de ser cumprida. Cumpri-la-emos.

SCORPIUS

As profecias podem não se realizar.

DELPHI

Estás muito enganado, rapaz, as profecias são o futuro.

SCORPIUS

Mas se as profecias são inevitáveis, porque havemos de estar aqui a influenciar os acontecimentos? As nossas ações contradizem o que pensas... estás a arrastar-nos por este labirinto porque achas que esta profecia precisa de ser tornada possível... e por essa lógica as profecias também podem não se concretizar... também podem ser evitadas.

DELPHI

Estás a falar de mais, rapaz. *Crucio!*

SCORPIUS *é atormentado pela dor.*

ALBUS

Scorpius!

SCORPIUS

Querias um teste, Albus... aqui estamos nós e vamos passar.

ALBUS *olha para* SCORPIUS, *percebendo por fim o que tem de fazer. Assente.*

DELPHI

Então irão morrer.

ALBUS *(cheio de força)*

Sim. Morremos. E morremos contentes por saber que isso te deteve.

DELPHI *ergue-se no ar, cheia de raiva.*

DELPHI

Não temos tempo para isto. *Cru...*

VOZ MISTERIOSA

Expelliarmus!

Um estampido. A varinha de DELPHI *é-lhe arrancada das mãos.* SCORPIUS *fica a olhar, espantado.*

Brachiabindo!

E DELPHI *fica atada.* SCORPIUS *e* ALBUS *viram-se ao mesmo tempo e miram, espantados, o ponto de origem do raio: um jovem bem-parecido de uns dezassete anos,* CEDRIC.

CEDRIC

Não se aproximem.

SCORPIUS

Mas tu és...

CEDRIC

Cedric Diggory. Ouvi gritos, tinha de vir. Apresentem-se, criaturas, eu posso lutar contra vocês.

ALBUS *dá uma volta, espantado.*

ALBUS

Cedric?

SCORPIUS

Salvaste-nos.

CEDRIC

Vocês também são uma tarefa? Um obstáculo? Falem. Também tenho de vos derrotar?

Um silêncio.

SCORPIUS

Não. Tens apenas de nos libertar. É essa a tarefa.

CEDRIC *pensa, tentando decidir se é uma armadilha, e depois brande a varinha.*

CEDRIC

Emancipare! Emancipare!

Os rapazes são libertados.

E agora, posso continuar? Terminar o labirinto?

Os rapazes olham para CEDRIC... *de coração partido.*

ALBUS

Receio que sim, tens de terminar o labirinto.

CEDRIC
Assim farei.

> CEDRIC *afasta-se, confiante.* ALBUS *segue-o com o olhar, desesperado por dizer qualquer coisa, mas sem saber o quê.*

ALBUS
Cedric...

> CEDRIC *vira-se para trás.*

O teu pai gosta muito de ti.

CEDRIC
O quê?

> *Atrás deles, o corpo de* DELPHI *começa a mexer-se. Rasteja pelo chão.*

ALBUS
Só pensei que devias saber isso.

CEDRIC
OK. Hum. Obrigado.

> CEDRIC *olha para* ALBUS *por mais um instante e depois segue o seu caminho.* DELPHI *tira o Vira-Tempo das suas vestes.*

SCORPIUS
Albus.

ALBUS
Não. Espera...

SCORPIUS
O Vira-Tempo está a girar... olha lá o que ela está a fazer... ela não nos pode deixar aqui.

> ALBUS *e* SCORPIUS *apressam-se a segurar uma parte do Vira--Tempo.*

*E vê-se uma enorme explosão de luz. Um ruído estrondoso.
E o tempo para. E depois vira, pensa um pouco e começa a
rolar para trás, devagar ao princípio...
E depois acelera.*

Albus...

ALBUS
O que é que nós fizemos?

SCORPIUS
Tínhamos de ir com o Vira-Tempo, tínhamos de tentar
travá-la.

DELPHI
Travar-me? Como é que acham que me travam? Estou
farta disto. Vocês podem ter arruinado a minha hipótese
de usar o Cedric para trazer as trevas ao mundo, mas talvez
tenhas razão, Scorpius... talvez as profecias possam não se
realizar. O que é verdade, sem margem para dúvida, é que
estou farta de vos usar para nada, suas criaturas incompe-
tentes e irritantes. Não vou perder nem mais um segundo
precioso convosco. Está na altura de tentar qualquer coisa
diferente.

*Esmaga o Vira-Tempo, que explode em milhares de frag-
mentos.*
DELPHI *sobe de novo no ar. Dá uma gargalhada, deliciada,
enquanto se afasta rapidamente.*
*Os rapazes tentam alcançá-la, mas não têm qualquer hipó-
tese. Ela voa, eles correm.*

ALBUS
Não... não... não podes...

SCORPIUS *volta atrás e tenta apanhar os pedaços do Vira-
-Tempo.*

O Vira-Tempo? Está destruído?

SCORPIUS

Completamente. Daqui não saímos. Presos no tempo. Seja lá ele qual for. Seja lá o que for que ela esteja a planear.

ALBUS

Hogwarts parece na mesma.

SCORPIUS

Sim. E nós não podemos ser vistos aqui. Vamos embora antes que alguém dê por nós.

ALBUS

Temos de a travar, Scorpius.

SCORPIUS

Eu sei que sim... mas como?

ATO TRÊS CENA VINTE E UM

LAR DE ST. OSWALD PARA FEITICEIRAS E FEITICEIROS IDOSOS, QUARTO DE DELPHI

HARRY, HERMIONE, RON, DRACO *e* GINNY *olham em redor de um quarto simples, revestido a painéis de madeira de carvalho.*

HARRY

Ela deve ter usado nele um Encantamento Confundus. Neles todos. Fingiu ser enfermeira, fingiu ser sobrinha dele.

HERMIONE

Eu já verifiquei com o Ministério, mas não há qualquer registo dela. Ela é uma sombra.

DRACO

Specialis Revelio!

Toda a gente se volta para olhar para DRACO.

Bom, valia a pena experimentar, de que é que estão à espera? Não sabemos nada, portanto esperemos que este quarto nos diga qualquer coisa.

GINNY

Onde é que ela pode ter escondido o que quer que fosse? É um quarto bastante espartano.

RON

Estes painéis, estes painéis devem esconder alguma coisa.

DRACO

Ou a cama.

> DRACO *começa a examinar a cama,* GINNY *um candeeiro, enquanto os restantes observam os painéis.*

RON (*aos gritos enquanto bate nas paredes*)

Que escondem vocês? Que têm vocês aí dentro?

HERMIONE

Talvez devêssemos parar todos um instante e pensar no assunto...

> GINNY *desenrosca a chaminé de um candeeiro a óleo.*
> *Ouve-se o som de um suspiro. E depois o silvo de palavras.*
> *Todos se viram para o candeeiro.*

O que foi isso?

HARRY

É... eu não devia perceber... é serpentês.

HERMIONE

E o que é que diz?

HARRY

Como é que eu...? Não consigo perceber serpentês desde que o Voldemort morreu.

HERMIONE

Nem a cicatriz te tem doído desde essa altura...

> HARRY *olha para* HERMIONE.

HARRY

Diz «Bem-vindo, Áugure». Acho que preciso de lhe dizer para abrir...

DRACO

Então vá.

HARRY *fecha os olhos. Começa a falar serpentês.*
O quarto começa a transformar-se em redor deles, mais sombrio e mais desesperado. Uma massa de serpentes pintadas emerge, retorcendo-se, em todas as paredes.
E nelas, escrita em tinta fluorescente, uma profecia.

O que é isto?

RON

«Quando os que estão a mais são poupados, quando o tempo é virado, quando filhos incompreendidos assassinam os seus pais: então, regressará o Senhor das Trevas.»

GINNY

Uma profecia. Mais uma profecia.

HERMIONE

O Cedric... chamavam-lhe o que estava a mais.

RON

Quando o tempo é virado... ela tem um Vira-Tempo, não tem?

Os rostos deles ficam desanimados.

HERMIONE

Deve ter.

RON

Mas por que razão é que ela precisa do Scorpius e do Albus?

HARRY

Porque eu sou um pai... que não compreendeu o filho. Não o entendeu.

DRACO

Quem é ela? Para estar tão obcecada com tudo isto?

GINNY

Acho que tenho a resposta.

Todos se viram para ela. Ela aponta para cima... Os rostos deles afligem-se ainda mais, cheios de medo.
São reveladas palavras em todas as paredes do auditório — palavras perigosas, palavras horríveis.

«Eu farei renascer as Trevas. Eu trarei o meu pai de volta.»

RON

Não. Ela não pode...

HERMIONE

Como é que é possível... sequer?

DRACO

O Voldemort teve uma filha?

Eles olham para cima, aterrorizados. GINNY *dá a mão a* HARRY.

HARRY

Não, não, não. Tudo menos isso.

As luzes descem até ficar escuro.

INTERVALO

ATO QUATRO

ATO QUATRO CENA UM

MINISTÉRIO DA MAGIA, SALÃO DE REUNIÕES

Feiticeiros e feiticeiras de todo o lado apertam-se no salão de reuniões. HERMIONE *sobe a um palanque montado à pressa. Ergue a mão a pedir silêncio. Faz-se silêncio. Surpreende-se com o pouco esforço que foi necessário. Olha em seu redor.*

HERMIONE
Obrigada. Fico muito satisfeita por tantos terem comparecido à minha... segunda Reunião Geral Extraordinária. Tenho algumas coisas a dizer. Peço que tratemos das perguntas — e haverá muitas — depois de eu falar. Como muitos de vós sabem, foi encontrado um corpo em Hogwarts. O rapaz chamava-se Craig Bowker. Era um bom rapaz. Não temos informações seguras sobre quem foi responsável pelo ato, mas ontem fizemos uma busca em St. Oswald. Um quarto revelou-nos duas coisas: primeira, uma profecia que prometia... o regresso das Trevas. Segunda, escrita no teto, uma proclamação em como o Senhor das Trevas teve uma... em como o Voldemort teve um descendente.

A notícia ecoa em redor da sala.

Não conhecemos todos os pormenores. Começámos agora mesmo a investigar, a interrogar os que têm ligações com os Devoradores da Morte... e, até agora, não se encontrou qualquer registo da criança nem da profecia, mas parece existir alguma verdade em tudo aquilo. Este descendente foi mantido escondido do mundo da feitiçaria, e agora é... bem, agora ela é...

PROFESSORA McGONAGALL
Ela? Uma filha? Ele teve uma filha?

HERMIONE
Sim, uma filha.

PROFESSORA McGONAGALL
E está agora detida?

HARRY
A Hermione pediu que não fizessem perguntas.

HERMIONE
Não faz mal, Harry. Não, Professora. É aí que a coisa fica pior. Receio não termos meios de a deter. Ou, na verdade, de a impedir de fazer o que quer que seja. Está fora do nosso alcance.

PROFESSORA McGONAGALL
Não podemos... procurá-la?

HERMIONE
Temos boas razões para acreditar que ela se escondeu... no tempo.

PROFESSORA McGONAGALL
Apesar de tudo, ficaste com o Vira-Tempo? Que coisa mais estúpida e irresponsável!

HERMIONE
Professora, asseguro-lhe que...

PROFESSORA McGONAGALL
Que vergonha, Hermione Granger!

HERMIONE *encolhe-se perante a reação de fúria.*

HARRY

Não, ela não merece isto. Tem razão para estar zangada. Todos temos, mas isto não é culpa da Hermione. Não sabemos como é que a feiticeira se apoderou do Vira-Tempo. Ou se o meu filho lho deu.

GINNY

Se o nosso filho lho deu ou se lhe foi roubado.

GINNY junta-se a HARRY *no palanque.*

PROFESSORA McGONAGALL

A vossa solidariedade é admirável, mas não diminui a vossa negligência.

DRACO

Então é uma negligência que eu também tenho de assumir.

DRACO sobe ao palanque e coloca-se ao lado de GINNY. *É um momento impressionante. Ouvem-se exclamações abafadas.*

A Hermione e o Harry não fizeram nada de mal, apenas tentaram proteger-nos a todos. Se são culpados, eu também sou.

HERMIONE olha comovida para o seu consorte. RON *junta-se-lhes no palanque.*

RON

É só para dizer que... não sabia de grande parte da coisa, por isso não posso responsabilizar-me. E tenho quase a certeza de que os meus filhos não tiveram nada que ver com isto, mas se este pessoal subiu aqui para cima, eu também subo.

GINNY

Ninguém consegue saber por onde eles andam, se estão juntos ou separados. Acredito que os nossos filhos façam tudo para a impedir, mas...

HERMIONE

Nós não desistimos. Fomos ter com os gigantes. Com os trolls. Todos os que pudemos encontrar. Os Aurors andam a voar, a investigar, a falar com quem conhece segredos, seguindo aqueles que não os revelam.

HARRY

Mas há uma verdade a que não podemos escapar. Que, algures no nosso passado, uma feiticeira está a tentar reescrever tudo o que sempre soubemos e, por isso, tudo o que podemos fazer é esperar, esperar pelo momento em que ela ou tem êxito ou falha.

PROFESSORA McGONAGALL

E se ela tiver êxito?

HARRY

Então... assim, sem mais, a maior parte das pessoas desta sala terão desaparecido, deixaremos de existir e o Voldemort terá de novo o poder.

ATO QUATRO **CENA DOIS**

HIGHLANDS ESCOCESAS,
ESTAÇÃO DE COMBOIO DE AVIEMORE, 1981

ALBUS *e* SCORPIUS *olham para um chefe de estação, apreensivos.*

ALBUS

Um de nós devia falar com ele, não achas?

SCORPIUS

Olá, Sr. Chefe de Estação. Mr. Muggle. Pergunta: Viu uma feiticeira voadora a passar por aqui? E a propósito, em que ano estamos? Acabámos de fugir de Hogwarts porque tínhamos medo de perturbar as coisas, mas achas que assim já está bem?

ALBUS

Sabes o que é que me chateia mais? O meu pai vai achar que fizemos isto de propósito.

SCORPIUS

Albus, a sério? Quero dizer, mesmo, mesmo a sério? Estamos... encurralados... perdidos no tempo... é provável que seja permanente... e tu estás preocupado com o que o teu pai poderá pensar? Nunca vos compreenderei.

ALBUS

Há muito para compreender. O meu pai é bastante complicado.

SCORPIUS

E tu não és? Não é que queira questionar o teu gosto em mulheres, mas tu gostaste... bem...

Ambos sabem de quem ele está a falar.

ALBUS

Gostei, não foi? Bem, o que ela fez ao Craig...

SCORPIUS

Não pensemos nisso. Concentremo-nos no facto de que não temos varinhas nem vassouras, nenhuma forma de regressarmos ao nosso tempo, só temos a nossa capacidade mental e... não, é tudo, a nossa capacidade mental... e temos de parar a Delphi.

CHEFE DE ESTAÇÃO (*num sotaque escocês muito cerrado*)

Sabem que o comboio de Auld Reekie[7] vem atrasado, meninos?

SCORPIUS

Desculpe?

CHEFE DE ESTAÇÃO

Se estão à espera do comboio de Auld Reekie, é melhor saberem que está atrasado. Trabalhos na linha. Está emendado no horário.

Olha para eles e eles devolvem-lhe o olhar, confusos, pois não compreenderam nada. O homem franze o sobrolho e dá-lhes um horário com correções. Aponta para o lado direito.

Atrasado.

ALBUS pega-lhe e examina-o. A sua expressão muda ao compreender um facto incrível. SCORPIUS fica a olhar para o CHEFE DE ESTAÇÃO.

---

[7] Designação popular de Edimburgo. (*NT*)

ALBUS

Já sei onde ela está.

SCORPIUS

Percebeste o que ele disse?

ALBUS

Olha para a data. No horário.

SCORPIUS *inclina-se e lê.*

SCORPIUS

Dia 30 de outubro de 1981. A véspera do Dia dos Mortos, há trinta e nove anos. Mas... porque está ela...? Oh.

O rosto de SCORPIUS *mostra aflição ao compreender.*

ALBUS

A morte dos meus avós. O ataque ao meu pai em bebé... o momento em que a maldição do Voldemort ressalta sobre ele. Ela não está a tentar cumprir a tal profecia, está a tentar impedir que a grande se cumpra.

SCORPIUS

A grande?

ALBUS

«Aquele que detém o poder para derrotar o Senhor das Trevas aproxima-se...»

SCORPIUS *junta-se-lhe.*

SCORPIUS E ALBUS

«... nascido daqueles que três vezes o desafiaram, nascido quando o sétimo mês finda...»

SCORPIUS *vai ficando mais desanimado a cada palavra.*

SCORPIUS

A culpa é minha. Eu disse-lhe que as profecias podem ser quebradas. Disse-lhe que toda a lógica das profecias é questionável...

ALBUS

Daqui a vinte e quatro horas, o Voldemort amaldiçoa-se a si próprio ao tentar matar o bebé Harry Potter. A Delphi está a tentar impedir essa maldição. Vai ela própria matar o Harry. Temos de ir para Godric's Hollow. Já.

ATO QUATRO CENA TRÊS

GODRIC'S HOLLOW, 1981

ALBUS *e* SCORPIUS *atravessam o centro de Godric's Hollow, uma pequena aldeia bonita e buliçosa.*

SCORPIUS
Bem, não vejo quaisquer sinais de ataque...

ALBUS
Isto é Godric's Hollow?

SCORPIUS
O teu pai nunca te trouxe aqui?

ALBUS
Não, tentou algumas vezes mas eu recusei.

SCORPIUS
Bem, não há tempo para visitas... temos de salvar o mundo de uma feiticeira assassina... mas olha... a Igreja de St. Jerome...

Quando ele aponta, avista-se uma igreja.

ALBUS
É magnífica.

SCORPIUS
E consta que o Cemitério de St. Jerome está magnificamente assombrado (*aponta noutra direção*), e é aí que a estátua do Harry e dos pais ficará...

ALBUS

O meu pai tem uma estátua?

SCORPIUS

Oh, ainda não. Mas vai ter. Esperemos. E esta... esta casa é onde vivia... onde vive a Bathilda Bagshot...

ALBUS

Aquela Bathilda Bagshot? A Bathilda Bagshot de *Uma História da Magia*?

SCORPIUS

Essa mesma. Oh, é ela... Uau... Um guinchinho... O cromo que há em mim está a tremer...

ALBUS

Scorpius!

SCORPIUS

E aqui está...

ALBUS

A casa de James, Lily e Harry Potter...

Um jovem casal bem-parecido sai de casa com um bebé num carrinho. ALBUS *vai aproximar-se deles, mas* SCORPIUS *puxa-o para trás.*

SCORPIUS

Eles não te podem ver, Albus, pode danificar o tempo, e não vamos fazer isso... desta vez não.

ALBUS

Mas isto quer dizer que ela não... Que conseguimos... que ela não...

SCORPIUS

Portanto, o que é que fazemos agora? Preparamo-nos para lutar com ela? É que ela é bastante... agressiva.

ALBUS

Sim. Não pensámos bem nisto, pois não? O que fazemos agora? Como é que protegemos o meu pai?

ATO QUATRO CENA QUATRO

MINISTÉRIO DA MAGIA, GABINETE DE HARRY

HARRY *remexe rapidamente a papelada.*

DUMBLEDORE
Boa tarde, Harry.

Pausa curta. HARRY *olha para o retrato de* DUMBLEDORE, *o rosto passivo.*

HARRY
Professor Dumbledore, no meu gabinete. Sinto-me honrado. Será que estou onde se vai desenrolar a ação esta noite?

DUMBLEDORE
O que estás a fazer?

HARRY
A analisar estes papéis, a ver se perdi alguma coisa que não devia. A reunir forças para lutar da forma limitada que nos resta. Sabendo que a batalha se está a travar muito longe de nós. Que mais posso fazer?

Pausa. DUMBLEDORE *não diz nada.*

Por onde tem andado, Dumbledore?

DUMBLEDORE

Agora estou aqui.

HARRY

Aqui exatamente quando a batalha está perdida. Ou nega que o Voldemort vai regressar?

DUMBLEDORE

É... possível.

HARRY

Vá-se embora. Vá. Não o quero aqui, não preciso de si. Esteve ausente sempre que era realmente importante. Lutei contra ele três vezes sem si. Enfrento-o de novo, se for preciso... sozinho.

DUMBLEDORE

Harry, não achas que eu queria lutar contra ele em teu nome? Ter-te-ia poupado se pudesse...

HARRY

O amor cega-nos? Ao menos sabe o que isso significa? Ao menos sabe como esse conselho é mau? O meu filho está... o meu filho está a travar batalhas por nós tal como eu tive de o fazer por si. E provei que sou um pai tão mau para ele como o senhor foi para mim. Deixando-o em lugares onde sente que não é amado, fazendo com que lhe cresçam ressentimentos que levará anos a compreender...

DUMBLEDORE

Se te estás a referir a Privet Drive, então...

HARRY

Anos... passei lá anos sozinho, sem saber o que era ou porque ali estava, sem saber que alguém se importava comigo!

DUMBLEDORE

Não quis ligar-me a ti...

HARRY

Protegia-se a si mesmo, já naquela altura!

DUMBLEDORE

Não, estava a proteger-te a ti. Não queria magoar-te...

DUMBLEDORE *tenta esticar os braços para fora do retrato, mas não consegue. Começa a chorar mas tenta escondê-lo.*

Mas acabei por ter de ir ao teu encontro... com onze anos e tão corajoso. Tão bom. Caminhaste sem te queixares ao longo do caminho que foi estendido aos teus pés. É claro que te amava... e sabia que ia acontecer tudo outra vez... que quando eu amasse... causaria uma dor irreparável... Não sou capaz de amar... nunca amei sem causar dor...

Pausa curta.

HARRY

Ter-me-ia magoado menos se me tivesse contado isto naquela altura.

DUMBLEDORE *(agora a chorar abertamente)*

Estava cego. É isso que o amor faz. Não via que tu precisavas de ouvir que este velho fechado, manhoso e perigoso... te amava...

Pausa. Os dois homens estão avassalados de emoção.

HARRY

Não é verdade que eu nunca me tenha queixado.

DUMBLEDORE

Harry, neste mundo confuso e emotivo nunca há uma resposta perfeita. A perfeição está para lá do alcance da humanidade, para lá do alcance da magia. Em todos os maravilhosos momentos de felicidade há uma gota de veneno: o conhecimento de que a dor regressará. Sê honesto com os que amas, mostra a tua dor. Sofrer é tão humano como respirar.

HARRY

Já me disse isso uma vez.

DUMBLEDORE

É tudo o que tenho para te oferecer hoje.

Começa a afastar-se.

HARRY

Não vá!

DUMBLEDORE

Aqueles que amamos nunca nos deixam verdadeiramente, Harry. Há coisas que a morte não pode tocar. Tinta... e memória... e amor.

HARRY

Eu também o amava, Dumbledore.

DUMBLEDORE

Eu sei.

Foi-se embora. E HARRY fica sozinho. Entra DRACO.

DRACO

Sabias que nesta outra realidade, aquela que o Scorpius presenciou, eu era diretor do Departamento de Execução da Lei Mágica? Talvez este gabinete seja meu em breve. Estás bem?

HARRY está consumido de dor.

HARRY

Entra... vou mostrar-te as instalações.

DRACO entra no gabinete, hesitante. Olha em seu redor com desagrado.

DRACO

Mas a questão é que nunca... gostei lá muito de ser um homem do Ministério. Nem mesmo em criança. O meu pai... era só o que queria. Eu não.

HARRY

O que é que querias fazer?

DRACO

Quidditch. Mas não era suficientemente bom. Sobretudo queria ser feliz.

HARRY *concorda com um gesto de cabeça.* DRACO *olha mais um pouco para ele.*

Desculpa, não sou lá muito bom em conversa de circunstância. Importas-te de irmos diretos às questões importantes?

HARRY

É claro que não. Que questões importantes?

Pausa curta.

DRACO

Achas que o Theodore Nott tinha o único Vira-Tempo?

HARRY

O quê?

DRACO

O Vira-Tempo de que o Ministério se apoderou era um protótipo. Feito de metal barato. Cumpre a sua função, claro. Mas só pode andar para trás cinco minutos... é um defeito sério. Não é algo que se vendesse a um verdadeiro colecionador de Magia Negra.

HARRY *compreende o que* DRACO *está a dizer.*

HARRY

Ele estava a trabalhar para ti?

DRACO

Não. Para o meu pai. Ele gostava de possuir coisas que mais ninguém tinha. Os Vira-Tempos do Ministério — graças ao Croaker — eram pouco empolgantes. Ele queria a capacidade de recuar mais do que uma hora, queria a capacidade

de viajar no tempo anos. Nunca o teria utilizado, secreta-
mente penso que ele preferia um mundo sem Voldemort.
Mas sim, o Vira-Tempo foi construído para ele.

HARRY

E tu guardaste-o?

DRACO *mostra o Vira-Tempo.*

DRACO

Não há o problema dos cinco minutos e cintila como ouro,
tal como os Malfoys gostam. Estás a sorrir.

HARRY

A Hermione Granger. Foi por esta razão que ela guardou
o primeiro, por medo que existisse um segundo. Por teres
conservado isto podias ter sido enviado para Azkaban.

DRACO

Pensa na alternativa, pensa se as pessoas tivessem sabido
que eu tinha a possibilidade de viajar no tempo. Pensa
nos rumores que teriam ganho uma maior... credibilidade.

HARRY *olha para* DRACO, *percebendo-o perfeitamente.*

HARRY

O Scorpius.

DRACO

Nós podíamos ter filhos, mas a Astoria era débil. Uma
praga no sangue, grave. Um antepassado fora amaldi-
çoado... e veio a revelar-se nela. Sabes como estas coisas
podem reemergir após gerações...

HARRY

Lamento, Draco.

DRACO

Não quis arriscar a saúde dela, disse-lhe que não fazia
mal se a linhagem dos Malfoys morresse comigo... dissesse
o meu pai o que dissesse. Mas a Astoria... não queria um

bebé por causa do nome Malfoy, pelo sangue puro ou pela glória, mas por nós. O nosso filho, o Scorpius, nasceu... foi o melhor dia de ambas as nossas vidas, embora tivesse enfraquecido a Astoria consideravelmente. Retirámo-nos, nós os três. Eu queria conservar a força dela... e assim começaram os rumores.

HARRY

Não consigo imaginar o que vocês devem ter passado.

DRACO

A Astoria sempre soube que não estava destinada a envelhecer. Queria que eu tivesse alguém quando ela partisse, porque... é extraordinariamente solitário ser Draco Malfoy. Serei sempre suspeito. Não há forma de escapar ao passado. Contudo, nunca compreendi que, ao escondê-lo deste mundo bisbilhoteiro e sempre pronto a criticar, estava a certificar-me de que o meu filho iria emergir envolto em suspeitas piores do que as que eu suportei.

HARRY

O amor cega. Ambos tentámos dar aos nossos filhos não o que eles precisavam, mas o que nós precisávamos. Andámos tão ocupados a reescrever os nossos próprios passados que gorámos o presente deles.

DRACO

E é por isso que precisas disto. Tenho-me agarrado a ele, mal resistindo a usá-lo, embora vendesse a minha alma por mais um minuto com a Astoria...

HARRY

Oh, Draco... não podemos. Não podemos usá-lo.

> DRACO *olha para* HARRY *e, pela primeira vez — no fundo deste poço horrendo —, olham um para o outro como amigos.*

DRACO

Temos de os encontrar, nem que leve séculos, temos de encontrar os nossos filhos...

HARRY

Não fazemos ideia de onde estão ou em que tempo. Procurar no tempo quando não fazemos ideia de onde procurar no tempo é uma tarefa infrutífera. Não, receio bem que o amor não a resolva e um Vira-Tempo também não. Agora depende dos nossos filhos, eles são os únicos que nos podem salvar.

ATO QUATRO CENA CINCO

GODRIC'S HOLLOW, NO EXTERIOR DA CASA DE JAMES E LILY POTTER, 1981

ALBUS

Contamos ao meu avô e à minha avó?

SCORPIUS

Que nunca vão ver o filho crescer?

ALBUS

Ela é forte... eu sei que é... tu viste-a.

SCORPIUS

Parece maravilhosa, Albus. E, se fosse a ti, estaria ansioso por falar com ela. Mas ela tem de ser capaz de implorar ao Voldemort que poupe a vida do Harry, tem de pensar que ele pode morrer, e tu és o pior mentiroso que existe à face da Terra...

ALBUS

O Dumbledore. O Dumbledore está vivo. Falamos com ele. Fazemos com ele o que tu fizeste com o Snape...

SCORPIUS

E podemos arriscar que ele saiba que o teu pai sobrevive? Que vai ter filhos?

ALBUS

Ele é o Dumbledore! Consegue lidar com o que quer que seja!

SCORPIUS

Albus, houve aí uns cem livros escritos sobre o que o Dumbledore sabia, como o soube e por que razão ele fez o que fez. Mas o que é verdade, sem qualquer dúvida... o que ele fez... ele precisava de fazer... e eu não vou correr o risco de interferir nisso. Eu pedi ajuda porque estava numa realidade alternativa. Nós não estamos. Estamos no passado. Não podemos remediar o tempo só para criar mais problemas... se as nossas aventuras nos ensinaram alguma coisa, foi isso mesmo. Os perigos de falar com alguém e infetar o tempo são demasiado grandes.

ALBUS

Então precisamos de falar com o futuro. Precisamos de enviar uma mensagem ao meu pai.

SCORPIUS

Mas não temos uma coruja que voe através do tempo. E ele não tem um Vira-Tempo.

ALBUS

Mandamos uma mensagem ao meu pai. Ele há de arranjar uma maneira de cá vir. Nem que tenha ele mesmo de construir um Vira-Tempo.

SCORPIUS

Mandamos uma memória, tipo um Pensatório; inclinamo-nos sobre o bebé e enviamos uma mensagem, espero que ele recorra à memória no momento exato. Quero dizer, é pouco provável, mas... inclinamo-nos sobre o bebé... e gritamos repetidamente SOCORRO. SOCORRO. SOCORRO. Quero dizer, pode ser ligeiramente traumatizante para a criança.

ALBUS

Só ligeiramente.

SCORPIUS

Um pequeno trauma agora não é nada comparado com o que está a acontecer... e talvez depois quando ele pensar... mais tarde... se lembre das nossas caras ao... gritarmos...

ALBUS

Por socorro.

SCORPIUS *olha para* ALBUS.

SCORPIUS

Tens razão. É uma ideia péssima.

ALBUS

É uma das piores ideias que alguma vez tiveste.

SCORPIUS

Já sei! Nós próprios a entregamos... esperamos quarenta anos... entregamo-la...

ALBUS

Isso não dá, nem pensar... assim que a Delphi transformar o tempo da maneira que ela quer, vai enviar exércitos atrás de nós para nos encontrar... para nos matar...

SCORPIUS

Então, escondemo-nos num buraco?

ALBUS

Por mais agradável que seja a ideia de me esconder num buraco contigo nos próximos quarenta anos... eles vão-nos encontrar. E nós morremos e o tempo ficará preso na posição errada. Não. Precisamos de uma coisa que consigamos controlar, uma coisa que tenhamos a certeza de que ele há de receber exatamente na altura certa. Precisamos de...

SCORPIUS

Não existe nada. Mesmo assim, se eu tivesse de escolher uma companhia com quem estar no regresso das trevas eternas, escolhia-te a ti.

ALBUS

Não é para ofender, mas eu preferia alguém importante e muito bom em magia.

LILY *sai de casa com o* HARRY BEBÉ *num carrinho e acon-chega-o cuidadosamente num cobertor.*

O cobertor. Ela está a embrulhá-lo no cobertor.

SCORPIUS

Bom, está um dia relativamente frio.

ALBUS

Ele disse sempre... que é a única coisa que tem dela. Olha o carinho com que o embrulhou nele... acho que ele gostaria de saber disso... quem me dera poder dizer-lhe.

SCORPIUS

E eu gostava de poder dizer ao meu pai... bom, não sei bem o quê. Acho que gostava de lhe dizer que de vez em quando sou capaz de ser mais corajoso do que ele pensa.

ALBUS *lembra-se de uma coisa.*

ALBUS

Scorpius... o meu pai ainda tem aquele cobertor.

SCORPIUS

Não resulta. Se escrevermos uma mensagem nele agora, mesmo que seja muito pequena, vai lê-la demasiado cedo. Adulteramos o tempo.

ALBUS

O que é que sabes sobre poções de amor? Qual é o ingrediente que todas elas têm?

SCORPIUS

Entre outras coisas, Pó de Pérola.

ALBUS

O Pó de Pérola é um ingrediente relativamente raro, não é?

SCORPIUS

Especialmente porque é bastante caro. E porquê estas perguntas, Albus?

ALBUS

Eu e o meu pai tivemos uma discussão na véspera de eu ir para a escola.

SCORPIUS

Essa parte eu sei. Acho que até ajudou a meter-nos nesta encrenca.

ALBUS

Eu atirei com o cobertor pelo quarto. E foi bater na poção de amor que o tio Ron me deu por piada.

SCORPIUS

Ele é um tipo divertido.

ALBUS

A poção entornou-se e o cobertor ficou cheio daquilo e acontece que eu tenho a certeza absoluta de que a minha mãe não deixou o meu pai tocar no quarto desde que eu saí.

SCORPIUS

E então?

ALBUS

Então, a Véspera do Dia dos Mortos está a chegar, tanto no tempo deles como no nosso... e ele contou-me que vai sempre buscar o cobertor, tem de o ter com ele na Véspera do Dia dos Mortos... foi a única coisa que a mãe lhe deu... portanto ele há de ir à procura dele e quando o encontrar...

SCORPIUS

Não. Ainda não estou a ver a ideia.

ALBUS

O que é que reage com o Pó de Pérola?

SCORPIUS

Bem, diz-se que, quando entram em contacto, a Tintura de Demiguise e o Pó de Pérola ardem.

ALBUS

E a Tintura de (*não sabe como dizer o termo*) Demiguise é visível a olho nu?

SCORPIUS

Não.

ALBUS

Portanto, se conseguíssemos chegar ao cobertor e escrever nele com Tintura de Demiguise, nesse caso...

SCORPIUS (*eureca*)

Não reagiria a nada até entrar em contacto com a poção de amor. No teu quarto. No presente. Por Dumbledore, adoro a ideia.

ALBUS

Só precisamos de descobrir onde haverá alguma... Demiguise.

SCORPIUS

Sabes uma coisa? Correm rumores de que a Bathilda Bagshot nunca viu qualquer utilidade em que as feiticeiras e os feiticeiros trancassem as portas.

A porta abre-se.

Os rumores eram verdadeiros. Está na altura de roubar algumas varinhas e começar a fazer poções.

ATO QUATRO CENA SEIS

CASA DE HARRY E GINNY POTTER, QUARTO DE ALBUS

HARRY *está sentado na cama de* ALBUS. *Entra* GINNY *e olha para ele.*

GINNY

Que surpresa encontrar-te aqui.

HARRY

Não te preocupes, não mexi em nada. O teu santuário foi preservado. *(Estremece.)* Desculpa. Palavras mal escolhidas.

GINNY *nada diz.* HARRY *olha para ela.*

Sabes que tive a minha quota-parte de Vésperas do Dia dos Mortos horríveis... mas esta é sem dúvida pelo menos a... segunda pior.

GINNY

Foi errado da minha parte... acusar-te... acuso-te sempre de te precipitares e fui eu que... o Albus desapareceu e eu parti do princípio de que a culpa era tua. Desculpa.

HARRY

Achas que isto não foi culpa minha?

GINNY

Harry, ele foi raptado por uma feiticeira Negra poderosa, como é que pode ter sido culpa tua?

HARRY

Eu afastei-o. Afastei-o para junto dela.

GINNY

Podemos não tratar isto como se já tivéssemos perdido a batalha?

GINNY *faz um aceno de cabeça.* HARRY *começa a chorar.*

HARRY

Desculpa, Gin...

GINNY

Não estás a ouvir o que te digo? Eu também lamento.

HARRY

Eu não devia ter sobrevivido... o meu destino era morrer... até o Dumbledore achava... e no entanto sobrevivi. Derrotei o Voldemort. Todas estas pessoas... todas estas pessoas... os meus pais, o Fred, os Cinquenta Caídos... e sou eu quem sobrevive? Como é possível? Tanta destruição... e é culpa minha.

GINNY

Eles foram mortos pelo Voldemort.

HARRY

Mas e se eu o tivesse impedido antes? Todo aquele sangue está nas minhas mãos. E agora o nosso filho também foi levado...

GINNY

Ele não morreu. Ouviste, Harry? Ele não morreu.

Ela abraça HARRY. *Uma grande pausa repleta da mais pura infelicidade.*

HARRY

O Rapaz Que Sobreviveu. Quantas pessoas tiveram de morrer pelo Rapaz Que Sobreviveu?

HARRY *oscila por um momento, indeciso. Depois repara no cobertor e vai até ele.*

Este cobertor é tudo o que tenho, sabes... dessa Véspera do Dia dos Mortos. Tudo o que tenho para me lembrar deles. E apesar de...

Pega no cobertor. Descobre que tem buracos. Mira-o, consternado.

Está cheio de buracos. A poção de amor idiota do Ron queimou-o, queimou-o mesmo. Olha para isto. Está completamente estragado.

Desdobra o cobertor. Vê que foram palavras escritas que o queimaram. Fica surpreendido.

O quê?

GINNY
Harry, tem algo... escrito...

Aparecem ALBUS *e* SCORPIUS *noutra parte da cena.*

ALBUS
«Pai»...

SCORPIUS
Começamos com «Pai»?

ALBUS
Assim ele sabe que fui eu.

SCORPIUS
Ele chama-se Harry. Devíamos começar por «Harry».

ALBUS *(firme)*
Começamos por «Pai».

HARRY
«Pai», é isso, não é, «Pai»? Não se percebe bem...

SCORPIUS

«Pai, HELP.»[8]

GINNY

«Hello»? É isso que diz? E depois... «Good»...

HARRY

«Pai Hello Good Hello»? Não. Isto é uma brincadeira esquisita.

ALBUS

«Pai. Help. Godric's Hollow.»

GINNY

Dá-me lá isso. Eu vejo melhor que tu. Sim. «Pai Hello Good»... não é «Hello» outra vez... é «Hallow» ou «Hollow»? E depois uns números... esses veem-se melhor... «3... 1... 1... 0... 8... 1». É um desses números de telefone dos Muggles? Ou umas coordenadas ou...

HARRY *ergue o olhar e diversos pensamentos ocorrem-lhe ao mesmo tempo.*

HARRY

Não. É uma data, 31 de outubro de 1981. A data em que os meus pais morreram.

GINNY *olha para* HARRY *e de novo para o cobertor.*

GINNY

Não diz «Hello». Diz «Help».

HARRY

«Pai. Help. Godric's Hollow. 31/10/81.» É uma mensagem. Esperto o rapaz, deixou-me uma mensagem...

HARRY *beija* GINNY *com força.*

---

[8] Seguem-se algumas palavras que foram mantidas em inglês para não desvirtuar a descodificação da mensagem. (*NT*)

GINNY

Foi o Albus quem escreveu isto?

HARRY

E disse-me onde estavam e quando lá estavam e agora sabemos onde ela está, sabemos onde podemos combatê-la.

Beija-a com força de novo.

GINNY

Ainda não o temos de volta.

HARRY

Vou mandar uma coruja à Hermione. Tu mandas uma ao Draco. Diz-lhes para se encontrarem connosco em Godric's Hollow com o Vira-Tempo.

GINNY

E é mesmo «connosco», OK? Nem penses em voltar atrás sem mim, Harry.

HARRY

Claro que também vens. Temos uma oportunidade e, por Dumbledore, é disso que precisamos apenas, uma oportunidade.

ATO QUATRO CENA SETE

GODRIC'S HOLLOW

RON, HERMIONE, DRACO, HARRY *e* GINNY *caminham por Godric's Hollow do presente. Um mercado buliçoso (a aldeia cresceu com o passar dos anos).*

HERMIONE

Godric's Hollow. Devem ter passado uns vinte anos...

GINNY

É impressão minha ou há mais Muggles por aqui?

HERMIONE

Tornou-se muito popular para passar o fim de semana.

DRACO

Estou a ver porquê... vejam lá os telhados de colmo. E aquilo é um mercado de produtores?

> **HERMIONE** *aproxima-se de* **HARRY** *— que olha em volta, espantado com tudo o que vê.*

HERMIONE

Lembras-te da última vez em que cá estivemos? Isto até parecem os velhos tempos.

RON

Os velhos tempos com alguns indesejados... rabos de cavalo à mistura.

DRACO *reconhece uma piada quando a ouve.*

DRACO

Posso só dizer que...

RON

Malfoy, podes andar todo muito amiguinho com o Harry e podes ter produzido um filho relativamente simpático, mas disseste muitas coisas injustas sobre e diretamente à minha mulher...

HERMIONE

E a tua mulher não precisa que a andes a defender.

HERMIONE *deita um olhar fulminante a* **RON**. **RON** *acusa o toque.*

RON

Está bem. Mas se dizes alguma coisa sobre ela ou sobre mim...

DRACO

O que é que tu fazes, Weasley?

HERMIONE

Ele dá-te um abraço. Porque estamos todos na mesma equipa, não estamos, Ron?

RON *(hesitando perante a firmeza do olhar dela)*

Está bem. Eu, hum, eu acho que tens um cabelo muito bonito, Draco.

HERMIONE

Obrigada, marido. Ora este parece um bom sítio. Vamos lá...

DRACO *puxa do Vira-Tempo — este começa a girar louca-mente enquanto os outros tomam os seus lugares em redor.*

E vê-se uma enorme explosão de luz. Um ruído estrondoso.
E o tempo para. E depois vira, pensa um pouco, e começa
a rolar para trás, devagar ao princípio...
E depois acelera.
Eles olham em seu redor.

RON

Então? Deu resultado?

ATO QUATRO CENA OITO

GODRIC'S HOLLOW, UMA CABANA, 1981

ALBUS *ergue o olhar, espantado de ver* GINNY *e depois* HARRY, *e apercebe-se do resto do alegre grupo* (RON, DRACO *e* HERMIONE).

ALBUS
MÃE?

HARRY
Albus Severus Potter. Que alegria ver-te.

> ALBUS *corre e atira-se para os braços de* GINNY. GINNY *abraça-o, deliciada.*

ALBUS
Receberam a nossa mensagem...?

GINNY
Recebemos.

> SCORPIUS *apressa-se a ir ter com o pai.*

DRACO
Também podemos dar um abraço se quiseres...

> SCORPIUS *olha para o pai, hesitante por momentos. E depois acabam ambos por dar um meio abraço, de uma maneira muito desajeitada.* DRACO *sorri.*

RON

Então, onde está essa Delphi?

SCORPIUS

Vocês sabem sobre a Delphi?

ALBUS

Ela está cá... achamos que está a tentar matá-lo, pai. Antes de o Voldemort se amaldiçoar. Vai matá-lo e assim quebrar a profecia e...

HERMIONE

Sim, também pensámos que fosse isso. Sabem exatamente onde está agora?

SCORPIUS

Desapareceu. Como é que... como é que fizeram sem o Vira-Tempo...

HARRY (*interrompendo*)

Uma história longa e complicada, Scorpius. E agora não temos tempo para isso.

DRACO *sorri para* HARRY, *agradecido.*

HERMIONE

O Harry tem razão. O tempo urge. Precisamos de nos pôr a postos. Então, Godric's Hollow não é um sítio grande, mas ela poderá vir de qualquer direção. Portanto precisamos de um local com boas vistas para a povoação, que permita múltiplos pontos de observação, em quantidade e em qualidade... e que, e isto é que é muito importante, nos mantenha escondidos porque não podemos correr o risco de sermos vistos.

Todos franzem o sobrolho, refletindo.

Eu diria que a Igreja de St. Jerome tem todos os requisitos, não acham?

ATO QUATRO **CENA NOVE**

GODRIC'S HOLLOW, IGREJA, SANTUÁRIO, 1981

ALBUS *dorme sobre um banco de igreja.* GINNY *vela-o cuidadosamente.* HARRY *olha pela janela em frente.*

HARRY
Não. Nada. Por que razão é que ela não está aqui?

GINNY
Estamos juntos, a tua mãe e o teu pai estão vivos, podemos virar o tempo, Harry, mas não podemos adiantá-lo. Ela há de vir quando estiver pronta, e nós estaremos prontos para ela.

Ela mira a forma adormecida de ALBUS.

Ou alguns de nós estarão.

HARRY
Pobre miúdo, que pensava que tinha de salvar o mundo...

GINNY
O pobre miúdo salvou o mundo. Aquilo do cobertor foi de mestre. Quero dizer, quase que também ia destruindo o mundo, mas provavelmente o melhor será não nos concentrarmos nessa parte.

HARRY

Achas que ele está bem?

GINNY

Está a chegar lá, pode ser que ainda demore um bocadinho... e tu também.

> HARRY *sorri. Ela olha de novo para* ALBUS. *Ele segue-lhe o olhar.*

Sabes, depois de eu ter aberto a Câmara dos Segredos, depois de o Voldemort me ter enfeitiçado com aquele diário horrível e eu quase ter destruído tudo...

HARRY

Eu lembro-me.

GINNY

Depois de sair do hospital... toda a gente me ignorava, me punha de lado... exceto o rapaz que tinha tudo... que atravessou a sala comum dos Gryffindor e me desafiou para uma partida de Explosões. As pessoas acham que sabem tudo sobre ti, mas o melhor de ti é... tem sido sempre... heroico de uma forma muito discreta. O que quero dizer é que... depois disto acabar, lembra-te se puderes... que às vezes as pessoas, especialmente os filhos... querem apenas alguém com quem jogar uma partida de Explosões.

HARRY

Achas que é isso que nos falta... o jogo das Explosões?

GINNY

Não. Mas o amor que senti da tua parte naquele dia... não sei se o Albus o sente.

HARRY

Por ele, faria tudo.

GINNY

Harry, tu farias tudo por quem quer que fosse. Estavas preparado para te sacrificares pelo mundo. Ele precisa de sentir o amor que tens por ele. Torná-lo-á mais forte e a ti também.

HARRY

Sabes, só quando pensámos que o Albus tinha desaparecido é que eu percebi verdadeiramente o que a minha mãe foi capaz de fazer por mim. Um contraencantamento tão forte que foi capaz de repelir o feitiço da morte.

GINNY

E o único feitiço que o Voldemort não conseguia entender... o do amor.

HARRY

Eu amo-o de uma maneira muito especial, Ginny.

GINNY

Bem sei, mas ele precisa de sentir isso.

HARRY

Tenho tanta sorte em ter-te comigo, não tenho?

GINNY

Muita sorte. E adorarei discutir contigo quão sortudo és... numa outra altura. Mas, por agora... vamos concentrar-nos em parar a Delphi.

HARRY

O tempo escasseia.

Ocorre um pensamento a GINNY.

GINNY

A não ser que... Harry, já alguém pensou... por que motivo ela escolheu este momento? Hoje?

HARRY

Porque é o dia em que tudo mudou...

GINNY

Neste momento, tens mais de um ano, certo?

HARRY

Um ano e três meses.

GINNY

Ela podia ter-te matado faz agora um ano e três meses. Neste instante, ela está aqui, em Godric's Hollow, há vinte e quatro horas. De que estará ela à espera?

HARRY

Não estou a compreender o que queres dizer...

GINNY

E se ela não estiver à tua espera? E se ela estiver à espera dele... para o parar?

HARRY

O quê?

GINNY

A Delphi escolheu esta noite porque ele está aqui... porque o pai dela está a chegar. Ela quer encontrar-se com ele. Estar com ele, o pai de quem ela tanto gosta. Os problemas do Voldemort começaram quando ele te atacou. Se não tivesse feito isso...

HARRY

Ter-se-ia tornado mais poderoso... as trevas ter-se-iam tornado mais sombrias.

GINNY

A melhor maneira de quebrar a profecia não é matar o Harry Potter, é impedir o Voldemort de fazer o que quer que seja.

———

ATO QUATRO CENA DEZ

O grupo está reunido e muito confuso.

RON

Portanto, vamos lá a ver se entendo... estamos a lutar para proteger o Voldemort?

ALBUS

O Voldemort que mata os meus avós, que tenta matar o meu pai...?

HERMIONE

É claro. A Delphi não está a tentar matar o Harry. Quer impedir o Voldemort de tentar matar o Harry. É brilhante.

DRACO

Portanto... limitamo-nos a esperar? Até o Voldemort aparecer?

ALBUS

Será que ela sabe quando ele chega? Não terá ela vindo com vinte e quatro horas de antecedência porque não tem a certeza de quando ele chega e de que direção? Os livros de História — corrige-me se estiver errado, Scorpius — nada dizem de quando e como ele chegou a Godric's Hollow.

SCORPIUS E HERMIONE

Não estás errado.

RON

Caramba! Eles são dois!

DRACO

Portanto, como é que podemos usar isto em nosso benefício?

ALBUS

Sabem em que é que eu sou realmente bom?

HARRY

Há muita coisa em que és bom, Albus.

ALBUS

Na poção Polissuco. E acho que a Bathilda Bagshot talvez tenha todos os ingredientes da Polissuco na sua cave. Podemos transformar-nos no Voldemort e trazê-la até nós.

RON

Para usar a poção Polissuco, precisamos de algo da pessoa. Não temos nada do Voldemort.

HERMIONE

Mas gosto do conceito. Uma cenoura para enganar o burro.

HARRY

Até que ponto nos podemos aproximar com a Transfiguração?

HERMIONE

Conhecemos o aspeto dele. E temos aqui feiticeiros e feiticeiras excelentes.

GINNY

Queres Transfigurar-te no Voldemort?

ALBUS

É a única forma.

HERMIONE

É, não é?

RON *dá um passo em frente com decisão.*

RON

Então, gostava de ser eu. Acho que devia ser eu. Quero dizer, não será... exatamente bom ser o Voldemort... mas sem me querer gabar, sou provavelmente o mais descontraído de todos nós e... por isso Transfigurar-me nele, no Senhor das Trevas, talvez me faça menos mal a mim do que a qualquer um de vocês, que são mais emotivos.

HARRY *afasta-se, pensativo.*

HERMIONE

A quem é que estás a chamar emotivo?

DRACO

Também gostava de me voluntariar. Acho que ser o Voldemort exige precisão... sem ofensa, Ron... e algum conhecimento de Magia Negra e...

HERMIONE

E eu também gostava de me voluntariar. Como Ministra da Magia, acho que é minha responsabilidade e meu direito.

SCORPIUS

Talvez devêssemos tirar à sorte...

DRACO

Tu não te vais oferecer, Scorpius.

ALBUS

Na verdade...

GINNY

Não, nem pensar. Acho que são todos loucos. Eu sei como é aquela voz dentro da nossa cabeça. Não a quero outra vez dentro da minha.

HARRY

E, seja como for, tenho de ser eu.

Viram-se todos para HARRY.

DRACO

O quê?

HARRY

Para este plano resultar, ela tem de acreditar que é ele, sem hesitar. Vai falar em serpentês... e eu *sabia* que havia uma razão para ainda ter essa capacidade. Mas, mais do que isso, eu... sei o que é sentir como ele. Sei o que é ser ele. Tenho de ser eu.

RON

Disparate. Muito bem dito, mas é um belo disparate. Nem penses em...

HERMIONE

Receio que tenhas razão, velho amigo.

RON

Hermione, estás enganada. O Voldemort não é algo... o Harry não devia...

GINNY

E detesto concordar com o meu irmão, mas...

RON

Ele pode ficar preso... como Voldemort... para sempre.

HERMIONE

O mesmo pode acontecer com qualquer um de nós. As tuas preocupações são válidas, mas...

HARRY

Aguentem aí, Hermione, Gin.

> GINNY *e* HARRY *trocam um olhar.*

Não o faço se vocês não quiserem, mas a mim parece-me a única forma. Estarei errado?

> GINNY *pensa um momento e depois concorda com um leve gesto. O rosto de* HARRY *endurece.*

GINNY

Tens razão.

HARRY

Então vamos a isto.

DRACO

Não precisamos de discutir o método que vais usar... o...?

HARRY

Ela está à espera dele. Ela vem ter comigo.

DRACO

E depois como é? Quando estiver contigo? Posso recordar--te que ela é uma feiticeira muito poderosa.

RON

Fácil. Ele trá-la para aqui. Nós fulminamo-la juntos.

DRACO

«Fulminamo-la»?

HERMIONE *olha em redor do espaço.*

HERMIONE

Escondemo-nos atrás daquelas portas. Se a conseguires trazer até aqui, Harry *(indica o ponto onde a luz da rosácea da igreja bate no chão)*, então nós saímos e certificamo-nos de que não tem hipóteses de escapar.

RON *(com um olhar para* DRACO*)*

E depois *fulminamo-la.*

HERMIONE

Harry, última hipótese, tens a certeza de que consegues fazer isto?

HARRY

Sim, consigo.

DRACO

Não, há demasiados «ses», demasiadas coisas que podem correr mal. A Transfiguração pode não se aguentar, ela pode adivinhar, se ela nos escapa agora não há forma de saber a destruição que pode causar. Precisamos de tempo para planear como deve ser...

ALBUS

Draco, confia no meu pai. Ele não nos deixa ficar mal.

HARRY *olha para* ALBUS, *comovido*.

HERMIONE

Varinhas.

Empunham todos as varinhas. HARRY *aperta a sua com força. A luz sobe, inunda-os.*
A transfiguração é lenta e monstruosa.
E depois a forma de VOLDEMORT *emerge de* HARRY*. E é um horror. Ele vira-se. Olha em volta para os amigos e para a família. Eles olham-no... horrorizados.*

RON

Cum caraças.

HARRY/VOLDEMORT

Então, deu resultado?

GINNY (*num tom grave*)

Sim, deu.

ATO QUATRO CENA ONZE

GODRIC'S HOLLOW, IGREJA, 1981

RON, HERMIONE, DRACO, SCORPIUS *e* ALBUS *estão junto a uma janela, a olhar para fora.* GINNY *não consegue olhar. Está sentada mais afastada.*
ALBUS *repara na mãe sentada à parte. Vai ter com ela.*

ALBUS
Vai correr tudo bem, mãe, sabes que sim, não sabes?

GINNY
Eu sei. Ou espero que sim. Só que... não o quero ver assim. O homem que eu amo escondido na forma do homem que odeio.

ALBUS *senta-se ao lado da mãe.*

ALBUS
Eu gostava dela, mãe. Sabias? Gostava mesmo dela. Da Delphi. E ela era... filha do Voldemort...?

GINNY
É nisso que eles são bons, Albus, a apanhar inocentes na teia deles.

ALBUS
Isto é tudo culpa minha.

GINNY *abraça-o.*

GINNY

Que engraçado, parece que o teu pai pensa que a culpa é dele. Vocês são um par bem estranho.

SCORPIUS

É ela. É ela. Ela já o viu.

HERMIONE

Posições. Todos. E lembrem-se, não saiam até ele a ter sob a luz. Temos uma única hipótese, não a queremos estragar.

Movem-se todos rapidamente.

DRACO

A Hermione Granger, estou a receber ordens da Hermione Granger. (*Ela vira-se para ele, ele sorri.*) E não estou a desgostar.

SCORPIUS

Pai...

Espalham-se. Escondem-se atrás de duas grandes portas. HARRY/VOLDEMORT *volta a entrar na igreja. Dá uns passos e depois vira-se.*

HARRY/VOLDEMORT

Seja quem for a feiticeira ou o feiticeiro que me segue, afianço-lhe que se vai arrepender.

DELPHI *surge por trás dele. Sente-se atraída para ele. É o seu pai e este é o momento por que esperou toda a sua vida.*

DELPHI

Lorde Voldemort. Sou eu, sou eu quem o segue.

HARRY/VOLDEMORT

Não te conheço. Deixa-me.

Ela respira fundo.

DELPHI
Sou vossa filha.

HARRY/VOLDEMORT
Se fosses minha filha, conhecia-te.

DELPHI *olha-o com ar implorativo.*

DELPHI
Venho do futuro. Sou filha da Bellatrix Lestrange e de vós. Nasci na mansão dos Malfoys antes da Batalha de Hogwarts. Uma batalha que vós ireis perder. Vim salvar-vos.

HARRY/VOLDEMORT *vira-se. Ela olha-o nos olhos.*

Foi o Rodolphus Lestrange, o leal marido da Bellatrix, que, ao regressar de Azkaban, me disse quem eu era e me revelou a profecia que pensava ser meu destino cumprir. Sou vossa filha, senhor.

HARRY/VOLDEMORT
Conheço a Bellatrix e há no teu rosto algumas semelhanças, embora não tenhas herdado o que ela tem de melhor. Mas sem provas...

DELPHI *fala ardentemente em serpentês.*
HARRY/VOLDEMORT *ri-se maldosamente.*

É essa a tua prova?

DELPHI *ergue-se no ar sem esforço.* HARRY/VOLDEMORT *dá um passo atrás, espantado.*

DELPHI
Eu sou o Áugure para o meu Senhor das Trevas. E estou pronta a dar tudo o que tenho para vos servir.

HARRY/VOLDEMORT *(tentando não mostrar o seu choque)*
Aprendeste a voar... de mim?

DELPHI

Tentei seguir o caminho que vós delineastes.

HARRY/VOLDEMORT

Nunca conheci nenhuma feiticeira ou feiticeiro que tenha tentado igualar-me.

DELPHI

Não me interpreteis mal... não afirmo que seja digna de vós, meu Lorde. Mas dediquei a minha vida a ser uma filha de quem vos orgulhásseis.

HARRY/VOLDEMORT *(interrompendo)*

Vejo o que tu és e vejo o que podias ser. Filha.

Ela olha para ele, profundamente comovida.

DELPHI

Pai?

HARRY/VOLDEMORT

Juntos, que poder podíamos exercer...

DELPHI

Pai...

HARRY/VOLDEMORT

Vem para aqui, para a luz, para eu poder examinar o que o meu sangue criou.

DELPHI

A vossa missão é um erro. Atacar o Harry Potter é um erro. Ele vai destruir-vos.

A mão de HARRY/VOLDEMORT *transforma-se na mão de* HARRY. *Ele olha-a, espantado e consternado, e depois escon-de-a rapidamente dentro da manga.*

HARRY/VOLDEMORT

Ele é um bebé.

DELPHI

Ele tem o amor da mãe dele, o vosso feitiço fará ricochete, destruindo-vos e tornando-o a ele demasiado forte e a vós demasiado fraco. Vós recuperareis e passareis os dezassete anos seguintes consumido numa batalha com ele... uma batalha que perdereis.

O cabelo de HARRY/VOLDEMORT *começa a brotar, ele sente-o, tenta cobri-lo. Puxa o capuz sobre a cabeça.*

HARRY/VOLDEMORT

Então, não o atacarei. Tens razão.

DELPHI

Pai?

HARRY/VOLDEMORT *encolhe, é agora mais* HARRY *do que* VOLDEMORT. *Vira as costas a* DELPHI.

Pai?

HARRY (*tentando desesperadamente soar ainda como* VOLDEMORT)

O teu plano é bom. A luta está cancelada. Serviste-me bem, agora vem aqui para a luz para eu te poder examinar.

DELPHI *vê uma porta a oscilar ligeiramente e depois a ser fechada. Franze a testa, a pensar rapidamente, a suspeita a aumentar.*

DELPHI

Pai...

Tenta ver de novo o rosto dele, tem aqui lugar quase uma dança.

Tu não és Lorde Voldemort.

DELPHI *lança um raio da sua varinha.* HARRY *iguala-a.*

Incendio!

HARRY

Incendio!

*Os raios encontram-se numa bela explosão no meio da cena.
E com a outra mão* DELPHI *lança raios para as duas portas
quando os outros as tentam abrir.*

DELPHI

Potter. *Colloportus!*

HARRY *olha para as portas, consternado.*

O quê? Pensavas que os teus amigos se vinham juntar a ti,
não foi?

HERMIONE *(em voz off)*

Harry... Harry...

GINNY *(em voz off)*

Ela selou as portas do teu lado.

HARRY

Ótimo. Trato de ti sozinho.

*Move-se para a atacar de novo, mas ela é muito mais forte.
A varinha de* HARRY *ascende na direção dela. Fica desarmado. Fica impotente.*

Como é que... O que és tu?

DELPHI

Há muito que te observo, Harry Potter. Conheço-te melhor
do que o meu pai.

HARRY

Pensas que conheces as minhas fraquezas?

DELPHI

Estudei para ser digna dele! Sim, apesar de ele ser o feiticeiro supremo de todos os tempos, terá orgulho em mim.
Expulso!

HARRY *rebola quando o chão explode atrás dele. Rasteja freneticamente para debaixo de um banco da igreja. Tenta decidir de que modo pode lutar contra ela.*

Vais a rastejar para longe de mim? Harry Potter, o herói do mundo dos feiticeiros. A rastejar como uma ratazana... *Wingardium Leviosa!*

O banco eleva-se no ar.

A questão é saber se me vale a pena matar-te, sabendo que, assim que impedir o meu pai, a tua destruição será assegurada. Como decidir? Oh, estou farta, vou matar-te.

Faz descer o banco com toda a força em cima dele. O banco estilhaça-se enquanto HARRY *rebola para longe, desesperado.*
ALBUS *sai de uma grelha no chão. Nenhum dos dois repara.*

Avada...

ALBUS
Pai...

HARRY
Albus! Não!

DELPHI
Dois? Escolhas, escolhas... Acho que mato primeiro o rapaz. *Avada Kedavra!*

Lança a Maldição de Morte a ALBUS, *mas* HARRY *atira-o para fora de alcance. O raio despedaça-se no chão. Ele responde com um raio.*

Pensas que és mais forte do que eu?

HARRY

Não, não sou.

Lançam raios implacavelmente um ao outro, enquanto ALBUS *rebola rapidamente para longe e lança um feitiço para uma porta e depois para a outra.*

Mas nós somos.

ALBUS *abre ambas as portas com a varinha.*

ALBUS

Alohomora! Alohomora!

HARRY

Sabes, nunca lutei sozinho. E nunca lutarei.

HERMIONE, RON, GINNY *e* DRACO *saem das portas e lançam os seus feitiços contra* DELPHI, *que grita, exasperada. É uma luta titânica mas ela não consegue lutar contra todos. Ouvem-se uma série de explosões e depois, vencida,* DELPHI *cai no chão.*

DELPHI

Não... não...

HERMIONE

Brachiabindo!

Ela fica atada.
HARRY *avança para* DELPHI. *Não tira os olhos dela. Todos os outros se afastam.*

HARRY

Albus, estás bem?

ALBUS

Sim, pai, estou bem.

HARRY *continua sem desviar o olhar de* DELPHI. *Continua a receá-la.*

HARRY

Ginny, ele ficou ferido? Preciso de saber se está bem...

GINNY

Ele insistiu. Era o único suficientemente pequeno para caber na grelha. Tentei impedi-lo.

HARRY

Diz-me só que ele está bem.

ALBUS

Estou ótimo, pai. Garanto.

> HARRY *continua a avançar para* DELPHI.

HARRY

Muita gente tentou fazer-me mal... mas o meu filho? Atreves-te a fazer mal ao meu filho?

DELPHI

Só queria conhecer o meu pai.

> *Estas palavras apanham* HARRY *de surpresa.*

HARRY

Não podes recriar a tua vida. Serás sempre órfã. Isso nunca desaparece.

DELPHI

Deixa-me só... vê-lo.

HARRY

Não posso e não o farei.

DELPHI (*num tom verdadeiramente comovente*)

Então mata-me.

> HARRY *pensa um pouco.*

HARRY

Também não posso fazer isso...

ALBUS

O quê? Pai? Ela é perigosa.

HARRY

Não, Albus...

ALBUS

Mas é uma assassina. Vi-a assassinar o...

HARRY *vira-se e olha para o filho e depois para* GINNY.

HARRY

Sim, Albus, ela é uma assassina mas nós não somos.

HERMIONE

Temos de ser melhores do que eles.

RON

Sim, é uma chatice mas foi isso que aprendemos.

DELPHI

Tira-me a mente. Tira-me a memória. Faz com que me esqueça de quem sou.

RON

Não, vamos levar-te para o nosso tempo.

HERMIONE

E vais para Azkaban. Tal como a tua mãe.

DRACO

Onde irás apodrecer.

HARRY *ouve um som. Um som sibilante.*
E depois há um ruído como a morte, um ruído diferente de tudo o que já ouvimos.
Haaarry Potttter...

SCORPIUS

O que foi isto?

HARRY

Não, não. Ainda não.

ALBUS

O quê?

RON

O Voldemort.

DELPHI

Pai?

HERMIONE

Agora? Aqui?

DELPHI

Pai!

DRACO

Silencio! (**DELPHI** é amordaçada.) *Wingardium Leviosa!* (É enviada para o alto e para longe.)

HARRY

Ele vem aí. Ele vem aí agora mesmo.

> **VOLDEMORT** *entra pelo fundo de cena, atravessa-a e desce até ao auditório. Com ele traz a morte. E todos o sabem.*

ATO QUATRO CENA DOZE

GODRIC'S HOLLOW, 1981

HARRY *olha para* VOLDEMORT, *impotente.*

HARRY
O Voldemort vai matar a minha mãe e o meu pai e não há nada que eu possa fazer para o impedir.

DRACO
Isso não é verdade.

SCORPIUS
Pai, agora não é a altura...

ALBUS
Há uma coisa que pode fazer... para o impedir, mas não vai querer.

DRACO
Isso é heroico.

GINNY *pega na mão de* HARRY.

GINNY
Não tens de ficar a ver, Harry. Podemos voltar para casa.

HARRY
Vou deixar que aconteça... é claro que tenho de ver.

HERMIONE

Então, vamos todos testemunhar.

RON

Vamos todos ver.

Ouvimos vozes desconhecidas...

JAMES (*em voz* off)

Lily, pega no Harry e foge! É ele! Foge! Rápido! Eu demoro-o...

Há uma explosão e depois ouve-se uma gargalhada.

Mantém-te longe, percebes... mantém-te longe.

VOLDEMORT (*em voz* off)
Avada Kedavra!

> **HARRY** *encolhe-se enquanto uma luz verde explode em volta do auditório.*
> **ALBUS** *pega-lhe na mão e* **HARRY** *aperta-lha. Precisa dela.*

ALBUS

Ele fez tudo o que podia.

> **GINNY** *ergue-se ao lado de* **HARRY** *e pega-lhe na outra mão. Ele apoia-se neles, eles mantêm-no em pé.*

HARRY

É a minha mãe, à janela. Consigo ver a minha mãe, é linda.

Ouvem-se estrépitos quando as portas são rebentadas.

LILY (*em voz* off)

O Harry não, o Harry não, por favor, o Harry não...

VOLDEMORT (*em voz* off)

Afasta-te, rapariga pateta... afasta-te já...

LILY (*em voz off*)

O Harry não, não, por favor, leve-me a mim, mate-me antes a mim...

VOLDEMORT (*em voz off*)

É o meu último aviso...

LILY (*em voz off*)

O Harry não! Por favor... tenha piedade... tenha piedade... o meu filho não! Por favor, eu farei tudo.

VOLDEMORT (*em voz off*)

Avada Kedavra!

> *E é como se um relâmpago atravessasse o corpo de* HARRY.
> *É atirado ao chão, um farrapo de dor inimaginável.*
> *E um ruído como um grito encolhido desce e sobe em volta de nós.*
> *E ficamos a ver.*
> *E lentamente o que lá estava deixa de estar.*
> *E a cena transforma-se e gira.*
> *E* HARRY *e a família e os amigos giram para fora e para longe.*

ATO QUATRO CENA TREZE

GODRIC'S HOLLOW, NO INTERIOR DA CASA
DE JAMES E LILY POTTER, 1981

E encontramo-nos nas ruínas de uma casa. Uma casa que foi alvo de um ataque violento.
HAGRID anda pelo meio das ruínas.

HAGRID
James?

Olha em seu redor.

Lily?

Anda devagar, sem vontade de ver demasiado muito depressa.
Está completamente destroçado.
E depois vê-os e detém-se e não diz nada.

Oh. Oh. Não é... não é... eu não 'tava... eles disseram-me, mas... não 'tava à espera que fosse tão mau...

Olha para eles e curva a cabeça. Balbucia algumas palavras e depois tira umas flores amarrotadas de dentro dos seus bolsos fundos e pousa-as no chão.

Desculpem, eles disseram-me, ele disse-me, o Dumbledore disse-me, não posso esperar com vocês. Os Muggles vêm aí, 'tão a ver, com as luzes azuis a piscar, e não vão gostar nada de um grande trapalhão como eu, pois não?

Solta um soluço.

Mas é muita duro deixar-vos. Quero que saibam... não serão esquecidos... por mim não... nem por ninguém.

E depois ouve um som, o som de um bebé a fungar. HAGRID *vira-se para ele, andando agora com mais veemência.*
Olha para baixo e fica junto do berço, que parece irradiar luz.

Bem, olá. Deves ser o Harry. Olá, Harry Potter. Eu sou o Rubeus Hagrid. E vou ser teu amigo quer queiras quer não. É que foi duro pra ti, não que já saibas isso. E vais precisar d'amigos. Bom, o melhor é vires comigo, não achas?

Enquanto luzes azuis a piscar enchem a sala, emprestando--lhe um brilho quase etéreo, ele ergue HARRY *suavemente nos braços. E depois, sem olhar para trás, atravessa a casa em grandes passadas.*
Luzes descem até à obscuridade.

ATO QUATRO   CENA CATORZE

HOGWARTS, SALA DE AULA

SCORPIUS e ALBUS *correm para dentro de uma sala de aula, muito empolgados. Batem com a porta.*

SCORPIUS
   Nem acredito bem que fiz aquilo.

ALBUS
   Eu também não acredito que o fizeste.

SCORPIUS
   A Rose Granger-Weasley. Convidei a Rose Granger-Weasley para sair.

ALBUS
   E ela disse que não.

SCORPIUS
   Mas convidei-a. Plantei a semente. A semente que há de crescer e transformar-se no nosso possível casamento.

ALBUS
   Dás-te conta de que és um sonhador inveterado?

SCORPIUS
   E eu até concordaria contigo... só que a Polly Chapman convidou-me para o Baile da Escola...

ALBUS

Numa realidade alternativa onde eras significativamente, mesmo muito significativamente mais popular, uma rapariga diferente convidou-te e isso significa...

SCORPIUS

E sim, a lógica exigiria que eu andasse atrás da Polly, ou que a deixasse andar atrás de mim, afinal é muito bonita, mas uma Rose é uma Rose.

ALBUS

E sabes que a lógica diria que és um anormal? A Rose odeia-te.

SCORPIUS

Correção: costumava odiar-me, mas viste a expressão nos olhos dela quando eu a convidei? Não era ódio, era pena.

ALBUS

E a pena é uma coisa boa?

SCORPIUS

A pena é um começo, meu amigo, uma fundação sobre a qual construir um palácio... um palácio de amor.

ALBUS

Honestamente, eu pensava que ia ser o primeiro de nós dois a arranjar uma namorada.

SCORPIUS

Oh, e vais ser, sem dúvida, provavelmente aquela nova professora de Poções de olhos esfumados. É suficientemente velha para ti, certo?

ALBUS

Não tenho queda por mulheres mais velhas!

SCORPIUS

E tens tempo, imenso tempo, para a seduzir. Porque a Rose vai levar anos a deixar-se convencer.

ALBUS

Admiro a tua confiança.

ROSE *passa por eles nas escadas e olha para ambos.*

ROSE

Olá.

Nenhum dos rapazes sabe muito bem como responder. Ela olha para SCORPIUS.

Isto só será esquisito se tu deixares que seja.

SCORPIUS

Recebido e perfeitamente entendido.

ROSE

OK. «Rei Escorpião».

Afasta-se com um sorriso no rosto. SCORPIUS *e* ALBUS *olham um para o outro.* ALBUS *faz um grande sorriso e dá um murro no braço de* SCORPIUS.

ALBUS

Talvez tenhas razão, talvez a pena seja um começo.

SCORPIUS

Vais ao Quidditch? Os Slytherin jogam contra os Hufflepuff, é um jogo importante...

ALBUS

Pensei que odiávamos o Quidditch?

SCORPIUS

As pessoas podem mudar. Além disso, tenho andado a praticar. Acho que talvez acabe por entrar na equipa. Vamos.

ALBUS

Não posso. O meu pai combinou vir cá...

SCORPIUS

Vai faltar ao trabalho do Ministério?

ALBUS

Quer ir dar um passeio comigo. Qualquer coisa para me mostrar... partilhar comigo... uma coisa qualquer.

SCORPIUS

Um passeio?

ALBUS

Bem sei, acho que é uma coisa do tipo de criar laços ou algo igualmente de vomitar. No entanto, sabes, acho que vou.

> **SCORPIUS** *estende os braços e abraça* **ALBUS**.

O que é isto? Pensei que tínhamos decidido que não nos abraçamos.

SCORPIUS

Não tinha a certeza. Se devíamos. Nesta nova versão de nós que tinha na cabeça.

ALBUS

O melhor é perguntares à Rose se é o que se deve fazer.

SCORPIUS

Ah! Pois. Certo.

> *Os dois rapazes largam-se e sorriem um para o outro.*

ALBUS

Vejo-te ao jantar.

ATO QUATRO CENA QUINZE

UM MONTE ESPLÊNDIDO

HARRY *e* ALBUS *sobem um monte num belo dia de verão. Não dizem nada, gozando o sol na cara enquanto sobem.*

HARRY

Portanto, estás pronto?

ALBUS

Para quê?

HARRY

Bem, há os exames do quarto ano... e depois o quinto... um ano importante... no meu quinto ano eu fiz...

Olha para ALBUS. *Sorri. Fala rapidamente.*

Fiz uma data de coisas. Algumas boas. Algumas más. Muitas bastante confusas.

ALBUS

É bom saber.

HARRY *sorri.*

Eu pude observá-los, sabe, um bocadinho, a sua mãe e o seu pai. Eram... vocês divertiam-se juntos. O seu pai adorava fazer aquela coisa das argolas de fumo consigo e o pai... bem, o pai não parava de se rir.

347

HARRY

Sim?

ALBUS

Acho que havia de gostar deles. E acho que eu, a Lily e o James também havíamos de gostar deles.

> **HARRY** *assente. Faz-se um silêncio ligeiramente incómodo. Ambos tentam chegar ao outro, ambos falham.*

HARRY

Sabes, pensei que o tinha destruído, o Voldemort, pensei que o tinha destruído... e depois a cicatriz começou a doer-me de novo e sonhei com ele e percebi que até sabia falar serpentês de novo e comecei a sentir que eu não mudara nada... que ele nunca me deixara em paz...

ALBUS

· E deixara?

HARRY

A parte de mim que era o Voldemort morreu há muito tempo, mas não era suficiente ver-me livre dele fisicamente. Tinha de me livrar dele mentalmente. E isso... é muita coisa para um homem de quarenta anos aprender.

> *Olha para* **ALBUS**.

Aquilo que eu te disse... foi indesculpável, e não te posso pedir que o esqueças, mas posso ter esperança de que o ultrapassemos. Vou tentar ser um pai melhor para ti, Albus. Vou tentar e... ser honesto contigo e...

ALBUS

Pai, não precisa de...

HARRY

Disseste-me que achas que eu não tenho medo de nada e que... quero dizer, eu tenho medo de tudo. Quero dizer, tenho medo do escuro, sabias?

ALBUS

O Harry Potter tem medo do escuro?

HARRY

Não gosto de lugares pequenos e... nunca disse isto a ninguém, mas não gosto lá muito de... (*hesita antes de continuar*) pombos.

ALBUS

Não gosta de pombos?

HARRY (*fazendo uma careta*)

São umas coisas sujas, que dão bicadas, repugnantes. Dão--me arrepios.

ALBUS

Mas os pombos não fazem mal a ninguém.

HARRY

Bem sei. Mas a coisa que me mete mais medo, Albus Severus Potter, é ser teu pai. Porque estou a funcionar sem referências. A maior parte das pessoas tem pelo menos um pai em que se basear... e ou tentam ser como ele ou não. Eu não tenho nada... ou muito pouco. Por isso estou a aprender, OK? E vou tentar com todas as minhas forças... ser um bom pai para ti.

ALBUS

E eu vou tentar ser um filho melhor. Sei que não sou o James, pai. Nunca serei como vocês os dois...

HARRY

O James não é nada parecido comigo.

ALBUS

Não é?

HARRY

Para o James, tudo é fácil. A minha infância foi uma luta constante.

ALBUS

A minha também. Portanto, está a dizer que... eu sou... como o pai?

HARRY *sorri a* ALBUS.

HARRY

Na verdade, és mais como a tua mãe, ousado, turbulento, divertido. E gosto disso, e acho que isso faz de ti um filho incrível.

ALBUS

Quase destruí o mundo.

HARRY

A Delphi não ia conseguir nada, Albus... tu trouxeste-a para a luz e arranjaste forma de nós lutarmos contra ela. Podes não ver isso agora, mas tu salvaste-nos.

ALBUS

Mas eu não devia ter feito melhor?

HARRY

E tu achas que eu não faço essas mesmas perguntas a mim próprio?

ALBUS (*o estômago às voltas, sabe que não era isto o que o pai faria*)

E depois, quando a apanhámos, eu queria matá-la.

HARRY

Tinha-la visto matar o Craig, estavas cheio de raiva, Albus, e isso não faz mal. E não o terias feito.

ALBUS

Como é que sabe? Talvez seja o meu lado Slytherin. Talvez seja isso que o Chapéu Selecionador viu em mim.

HARRY

Não percebo a tua cabeça, Albus. Na verdade, sabes uma coisa, és um adolescente, não tenho de ser capaz de compreender a tua cabeça, mas compreendo o teu coração. Não o fiz... durante muito tempo, mas graças a esta «escapada» sei o que tens aí dentro. Slytherin, Gryffindor, seja qual for a etiqueta que te deram, eu sei... sei... que esse coração é bom. Pois, quer gostes quer não, vais a caminho de ser um grande feiticeiro.

ALBUS

Oh, não vou ser feiticeiro. Vou dedicar-me às corridas de pombos. Estou muito entusiasmado com essa ideia.

HARRY *faz um grande sorriso.*

HARRY

Esses teus nomes... não devem ser um fardo. Sabes, o Albus Dumbledore também teve os seus dissabores... e o Severus Snape, bem, sabes tudo sobre ele...

ALBUS

Eram bons homens.

HARRY

Eram grandes homens, com enormes defeitos, e sabes uma coisa... esses defeitos quase os tornaram maiores.

ALBUS *olha em seu redor.*

ALBUS

Pai? Porque estamos aqui?

HARRY

Venho aqui muitas vezes.

ALBUS

Mas é um cemitério...

HARRY

E aqui está o túmulo do Cedric...

ALBUS

Pai?

HARRY

O rapaz que foi morto, o Craig Bowker, até que ponto o conhecias?

ALBUS

Não muito bem.

HARRY

Eu também não conhecia o Cedric lá muito bem. Ele podia ter jogado Quidditch pela Inglaterra. Ou ter sido um Auror brilhante. Podia ter sido tudo. E o Amos tem razão... ele foi roubado. Por isso venho aqui. Só para dizer que lamento. Sempre que posso.

ALBUS

É... bom fazeres isso.

> **ALBUS** *junta-se ao pai em frente do túmulo de* **CEDRIC**. **HARRY** *sorri ao filho e ergue o olhar para o céu.*

HARRY

Acho que vai ser um dia bom.

> *Toca no ombro do filho. E os dois encontram-se ao de leve.*

ALBUS *(sorri)*

Eu também.

FIM

Harry Potter e a Criança Amaldiçoada Partes Um e Dois é uma peça de teatro produzida pela primeira vez por Sonia Friedman Productions, Colin Callender e Harry Potter Theatrical Productions. A sua estreia teve lugar no Palace Theatre, em Londres, a 30 de julho de 2016, com o elenco que se segue.

Nomes do elenco por ordem alfabética

CRAIG BOWKER JR.	Jeremy Ang Jones
MURTA QUEIXOSA, LILY POTTER SR.	Annabel Baldwin
TIO VERNON, SEVERUS SNAPE, LORD VOLDEMORT	Paul Bentall
SCORPIUS MALFOY	Anthony Boyle
ALBUS POTTER	Sam Clemmett
HERMIONE GRANGER	Noma Dumezweni
POLLY CHAPMAN	Claudia Grant
HAGRID, CHAPÉU SELECIONADOR	Chris Jarman
YANN FREDERICKS	James Le Lacheur
TIA PETUNIA, MADAME HOOCH, DOLORES UMBRIDGE	Helena Lymbery
AMOS DIGGORY, ALBUS DUMBLEDORE	Barry McCarthy
FEITICEIRA DO CARRINHO DOS DOCES, PROFESSORA McGONAGALL	Sandy McDade
CHEFE DE ESTAÇÃO	Adam McNamara
GINNY POTTER	Poppy Miller
CEDRIC DIGGORY, JAMES POTTER JR., JAMES POTTER SR.	Tom Milligan
DUDLEY DURSLEY, KARL JENKINS, VIKTOR KRUM	Jack North
HARRY POTTER	Jamie Parker
DRACO MALFOY	Alex Price

BANE   Nuno Silva
ROSE GRANGER-WEASLEY,   Cherrelle Skeete
JOVEM HERMIONE
DELPHI DIGGORY   Esther Smith
RON WEASLEY   Paul Thornley

JOVEM HARRY POTTER
{
Rudi Goodman
Alfred Jones
Bili Keogh
Ewan Rutherford
Nathaniel Smith
Dylan Standen
}

LILY POTTER JR.
{
Zoe Brough
Cristina Fray
Christiana Hutchings
}

OUTROS PAPÉIS
FORAM DESEMPENHADOS POR

Nicola Alexis, Jeremy Ang Jones, Rosemary Annabella, Annabel Baldwin, Jack Bennett, Paul Bentall, Morag Cross, Claudia Grant, James Howard, Lowri James, Chris Jarman, Martin Johnston, James Le Lacheur, Helena Lymbery, Barry McCarthy, Andrew McDonald, Adam McNamara, Tom Milligan, Jack North, Stuart Ramsay, Nuno Silva, Cherrelle Skeete.

SUBSTITUTOS

Helen Aluko, Morag Cross, Chipo Kureya, Tom Mackley, Joshua Wyatt

Nuno Silva	Responsável de Movimento
Jack North	Responsável-Adjunto de Movimento
Morag Cross	Responsável de Voz

EQUIPA CRIATIVA
E DE PRODUÇÃO

História Original	J.K. Rowling, John Tiffany, Jack Thorne
Dramaturgia	Jack Thorne
Encenador	John Tiffany
Movimento	Steven Hoggett
Cenógrafo	Christine Jones
Figurinista	Katrina Lindsay
Composição e Arranjos Musicais	Imogen Heap
Luminoplasta	Neil Austin
Sonoplasta	Gareth Fry
Ilusões e Magia	Jamie Harrison
Arranjos e Direção Musical	Martin Lowe
Responsável de Casting	Julia Horan CDG
Diretor de Produção	Gary Beestone
Diretor de Cena	Sam Hunter
Assistente de Encenação	Des Kennedy
Assistente de Movimento	Neil Bettles
Assistente de Cenografia	Brett J. Banakis
Assistente de Sonoplastia	Pete Malkin
Assistente de Ilusões e Magia	Chris Fisher
Assistente de Casting	Lotte Hines

Assistente de Luminoplastia	Adam King
Diretor de Figurinos	Sabine Lemaître
Cabelos, Cabeleiras e Maquilhagem	Carole Hancock
Aderecistas	Lisa Buckley, Mary Halliday
Editor Musical	Phij Adams
Produtor Musical	Imogen Heap
Efeitos Especiais	Jeremy Chernick
Conceção de Vídeo	Finn Ross, Ash Woodward
Professor de Dialeto	Daniele Lydon
Professor de Voz	Richard Ryder
Diretor de Cena da Companhia	Richard Clayton
Diretor de Cena	Jordan Noble-Davies
Diretor-Adjunto de Cena	Jenefer Tait
Assistentes de Direção de Cena	Oliver Bagwell Purefoy, Tom Gilding, Sally Inch, Ben Sherratt
Encenador Residente	Pip Minnithorpe
Chefe de Guarda-Roupa	Amy Gillot
Assistente de Chefe de Guarda-Roupa	Laura Watkins
Assistentes de Guarda-Roupa	Kate Anderson, Leanne Hired
Costureiros	George Amielle, Melissa Cooke, Rosie Etheridge, John Ovenden, Emilee Swift
Responsável de Cabelos, Cabeleiras e Maquilhagem	Nina Van Houten
Responsável-Adjunto de Cabelos, Cabeleiras e Maquilhagem	Alice Townes
Assistentes de Cabelos, Cabeleiras e Maquilhagem	Charlotte Briscoe, Jacob Fessey, Cassie Murphie

Chefe de Som	Chris Reid
Chefe-Adjunto de Som	Rowena Edwards
Som n.º 3	Laura Caplin
Operador de Efeitos Especiais	Callum Donaldson
Responsável de Automação	Josh Peters
Responsável-Adjunto de Automação	Jamie Lawrence
Automação n.º 3	Jamie Robson
Operador de Som do Espetáculo	David Treanor
Técnico de Execução do Voo	Paul Gurney
Acompanhantes das Crianças do Elenco	David Russell, Eleanor Dowling

Presidente do Conselho de Gestão	Sonia Friedman Productions
Direção Executiva	Diane Benjamin
Produção Executiva	Pam Skinner
Produtor Associado	Fiona Stewart
Produtor Delegado	Ben Canning
Presidente do Conselho de Gestão Delegado	Max Bittleston
Assistente de Produção	Imogen Clare-Wood
Gestão de Comunicação	Laura Jane Elliott
Gestor Financeiro	Mark Payn
Produtor Associado (Desenvolvimento)	Lucie Lovatt
Assistente de Desenvolvimento	Lydia Rynne
Consultor Literário	Jack Bradley
Assistente Administrativo	Jordan Eaton
Chefe de Sala	Vicky Ngoma

BIOGRAFIAS DA EQUIPA DA HISTÓRIA ORIGINAL

J.K. ROWLING
História original

J.K. Rowling é autora dos sete volumes da série *Harry Potter*, que vendeu mais de 450 milhões de exemplares e está traduzida em 79 línguas, e de três livros complementares, publicados originalmente para fins de beneficência. É igualmente autora de *Uma Morte Súbita*, um romance para adultos publicado em 2012, e, sob o pseudónimo Robert Galbraith, da série policial Cormoran Strike. J.K. Rowling revela-se agora como argumentista e é ainda produtora do filme *Monstros Fantásticos e onde Encontrá-los*, uma extensão do universo de Harry Potter, a estrear em novembro de 2016.

JOHN TIFFANY
História original e encenação

John Tiffany dirigiu a peça *Once*, pela qual recebeu inúmeros prémios quer em West End quer na Broadway. Entre os seus trabalhos como Diretor Associado do Royal Court Theatre, incluem-se *The Twits*, *Hope* e *The Pass*. Foi encenador de *Let the Right One In* para o National Theatre of Scotland, depois também levado à cena no Royal Court, em West End e no St. Ann's Warehouse. Os seus outros trabalhos para o National Theatre of Scotland incluem *Macbeth* (também levado à cena na Broadway), *Enquirer*, *The Missing*, *Peter Pan*, *The House of Bernarda Alba*, *Transform Caithness: Hunter*, *Be Near Me*, *Nobody Will Ever Forgive Us*, *The Bacchae*, *Black Watch* — pelo qual foi galardoado com o Olivier e o Critics' Circle Awards para melhor encenador —, *Elizabeth Gordon Quinn* e *Home: Glasgow*. Entre outros dos seus trabalhos mais recentes, salientam-se *The Glass Menagerie*, no ART e na Broadway, e *The Embassador*, no BAM. Entre 2005 e 2012, John Tiffany ocupou o lugar de Diretor Associado do National Theatre of Scotland e, durante o ano académico de 2010--2011, foi Radcliffe Fellow na Universidade de Harvard.

JACK THORNE
História original e dramaturgia

Jack Thorne escreve para teatro, cinema, televisão e rádio. Os seus trabalhos para teatro incluem *Hope* e *Let the Right One In*, ambos encenados por John Tiffany, *The Solid Life of Sugar Water* para a Graeae Theatre Company e para o National Theatre, *Bunny* para o Fringe Festival de Edimburgo, *Stacy* para os Trafalgar Studios, e *2nd May 1997* e *When You Cure Me* para o Bush Theatre. Adaptou *The Physicists* para o Donmar Warehouse e *Stuart: A Life Backwards* para o Festival de Teatro HighTide. Entre os seus trabalhos para cinema, contam-se *War Book*, *A Long Way Down* e *The Scouting Book for Boys*. Entre os trabalhos realizados para televisão, contam-se *The Last Panthers*, *Don't Take My Baby*, *This Is England*, *The Fades*, *Glue*, *Cast-Offs* e *National Treasure*. Em 2016 ganhou os BAFTA nas categorias de Best Mini-Series (*This Is England '90*) e Best Single Drama (*Don't Take My Baby*). Em 2012 já tinha sido galardoado com os BAFTA nas categorias de Best Drama Series (*The Fades*) e Best Mini-Series (*This Is England '88*).

AGRADECIMENTOS

A todos os atores dos *workshops* de Cursed Child, Mel Kenyon, Rachel Taylor, Alexandria Horton, Imogen Clare--Wood, Florence Rees, Jenefer Tait, David Nock, Rachel Mason, Colin, Neil, Sonia; a todos quantos trabalham na SFP e na The Blair Partnership; a Rebecca Salt da JKR PR; a Nica Burns e a todo o pessoal do Palace Theatre; e, claro, ao incrível elenco que ajudou a dar forma a cada uma das nossas palavras.

Pode consultar este e outros títulos em
www.presenca.pt